D1533704

华章经管 | HZBOOKS | Economics Finance Business & Management

华章经典 · 金融投资

客户的游艇在哪里

华尔街奇谈

WHERE ARE THE CUSTOMERS'YACHTS?
or A Good Hard Look at Wall Street

| 典藏版 |

[美] 小弗雷德·施韦德 著 孙建 姚洁 栗颖 译

机械工业出版社
China Machine Press

图书在版编目（CIP）数据

客户的游艇在哪里：华尔街奇谈（典藏版）/（美）小弗雷德·施韦德（Fred Schwed, Jr.）著；孙建，姚洁，栗颖译 . —北京：机械工业出版社，2018.10
（华章经典·金融投资）

书名原文：Where Are the Customers'Yachts? or A Good Hard Look at Wall Street

ISBN 978-7-111-61148-6

I. 客… II. ① 小… ② 孙… ③ 姚… ④ 栗… III. 股票投资－经验－美国
IV. F837.125

中国版本图书馆 CIP 数据核字（2018）第 231189 号

本书版权登记号：图字　01-2007-0475

Fred Schwed, Jr. Where Are the Customers'Yachts? or A Good Hard Look at Wall Street.
ISBN 978-0-471-77089-2

Copyright © 1995 by Fred Schwed, Jr.

客户的游艇在哪里：华尔街奇谈（典藏版）

出版发行：机械工业出版社（北京市西城区百万庄大街 22 号　邮政编码：100037）

责任编辑：冯小妹　　　　　　　　　　　　责任校对：李秋荣

印　　刷：北京文昌阁彩色印刷有限责任公司　　版　　次：2018 年 11 月第 1 版第 1 次印刷

开　　本：170mm×230mm　1/16　　　　　印　　张：9

书　　号：ISBN 978-7-111-61148-6　　　　定　　价：39.00 元

本书所涉及的内容虽然未经"权威"人士认可，
但已被历史所证实。

| 目　录 |

投资市场的"潜规则"

《辞海》第 514 页关于"规则"一词的解释是：规定出来供大家共同遵守的制度或者章程。从"规则"中衍生出来的是"潜规则"，它相对于"元规则""明规则"而言，就是指那些看不见的、没有明文规定的、约定俗成的，但却又是被广泛认同、实际起作用的、人们必须"遵循"的规则。创造"潜规则"这一概念的吴思先生说，所谓的"潜规则"，便是"隐藏在正式规则之下，却在实际上支配着社会运行的规矩"。其实，各行各业都有规则，也都应该有相应的潜规则。规则好了解，因为一目了然；但是潜规则却不易领会，因为需要悟性、需要分析、需要总结，也需要点拨；而当两种规则交织在一起时，对于一个外行人来说，大多是需要花费很大的代价来学习和掌握的。

《客户的游艇在哪里》这本书主要谈的是金融行业的事情，或者说是华尔街金融圈子的众生相。从本书中你可以了解到参与这个世界最具有影响力的金融发动机的各个零部件的运转情况，从银行家到经纪人，从交易员到推销员，了解他们在市场交易中的作用，还可以了解他们的行为规范，但值得注意的是，这种行为规范分为显性和隐性两种。

作为希望通过参与金融证券领域而实现财富保值增值的投资人（客户）来说，他们首先见到的肯定是这些显性的规则。因为这些规则告诉他们可以借助股票交易实现财富的快速增长，可以通过保证金交易实现"以小博大"的梦想，可以通过期权交易获得额外的收益，可以接受股票经纪人的建议买进卖出，更可以依赖图表分析派对历史数据和走势的分析来"正确"地预测未来。

可是，本书的作者，一个在这个市场上摸爬滚打多年的人，他眼中的华尔街金融生态可能显现出来的是其隐性的一面。保证金交易会在市场剧烈波动中让人血本无归，股票经纪人的建议证明错误的次数比正确的次数要多得多，图表分析派依赖的基本原理是历史可以重复，但这在现实中几乎是不存在的。这一切的一切只有一个结果：客户的钱在不断的交易中消耗，而经纪人、交易员、推销员却因为成功发展了大量客户变得越来越富有，而鲜有客户能够真正在市场交易中实现财富的增值。

银行家、股票经纪人、股票推销员以及股票交易员都买了豪华的游艇，但是，客户的游艇在哪里呢？

股票是舶来品，发生在华尔街的一切，目前也在国内的证券市场上不断地上演。在 2005 年 6 月 6 日上海 998 点开始的牛市中，伴随上证综合指数不断创新高，股票 5 倍甚至 10 倍的上涨带来的财富效应正在影响着每一个人，而最直接的表现形态是更多的人不断地涌进了证券市场。来自权威部门的数据统计，2007年4月份的开户数相当于2006年全年的总和，这意味着一大批对证券市场并无太多了解的投资者正抱着迅速致富的梦想急切地来到这个市场。人往往在进入一个陌生环境的时候是最容易依赖专家的，而无疑这个行业中正充斥着大量的专家。他们每天推荐着股票，预测着下一个交易日大盘的走势；他们对经济政策发表着不同的看法；无论是否经过严格的论证和分析，他们代客理财，取得利润后分成或者获得证券公司的佣金奖励。他们的目的很单一，希望刚刚进入这个市场的这批投资人，能够成为自己的客户。他们希望在帮助客户赚钱的同时自己也能致富，而实际的效果是他们赚得安全稳定，而客户却常常处在风险之中。

这本书不同于其他描写投资市场的著作，作者站在不同的视角对这个市场中的同一事物进行了深入浅出的分析。既让普通的投资者可以通过它迅速了解这个行当的特点和规则，又可以让对这个市场有深刻了解的投资人在轻松的语言氛围中悟到市场中的另外一套规则——它的分工很明确：显性的规则是为了说服客户不断地参与这个市场，而隐性的规则是他们不断依靠客户赚取稳定的钱，去购买自己的"游艇"。

相信无论是刚刚入市的新投资者还是已经在这个市场打拼多年的老投资者，都能从这本通俗易懂、语言诙谐的书中获得启示。

姚振山

当我第一次看到这本有趣的小书时，仿佛作者的幽灵如影随形，手里还拿着一杯奎宁杜松子酒。当时，我正在普林斯顿大学图书馆闲逛，几乎绝望了——这些描写 20 世纪 20 年代华尔街的书对于一个想写 20 世纪 80 年代华尔街的人来说一点借鉴意义都没有。当我把一本布满灰尘的书放回书架时看到它旁边的一本书，书名很引人入胜，装帧也很精美。我马上把它取下来一口气读完了。

远在伯顿·马尔基尔写《漫步华尔街》（*A Random Walk Down Wall Street*）⊖之前，小弗雷德·施韦德已经写了一本。20 世纪 20 年代初期，已经读到大学四年级的他因为晚上六点在宿舍里容留女生被普林斯顿大学劝退，之后就在华尔街谋生，他只在那里干了几年，关于这些经历也只写了这一本书，但这并不妨碍它成为精品。他对当时华尔街妙趣横生的描述对现在的华尔街来说依然适用，许多当时的"幽默"作品现在都显得做作和不知所云，但这本书仍然趣味十足，应该是因为它和现在还息息相关吧。

施韦德通过浅显的语言全面地描绘出投资行业的疯狂本性：人

⊖ 本书中文版已由机械工业出版社出版。

们普遍认为有人可以告诉自己怎样能快速致富，以小搏大。其潜在的指导原则是："选择盈利性的投资项目的工作本身并无胜任与否之分，因为几乎不存在可见的供给来源。"但仍然有很多人发布投资建议，更多的人接受这些建议。我们该如何看待他们的行为呢？基于在投资业的所见所闻，小弗雷德·施韦德与其说是愤怒，不如说是觉得可笑。他写道："股票经纪人通过他对未来的预测来影响顾客，但他首先得说服自己。对他来说，最不幸的是他十分想说服自己，并且最终他勉强成功了——这通常更糟糕。"

施韦德对其书中的主人公只是嘲讽而不是大治其罪，这不仅和华尔街有关，还取决于他的性情。他的父亲是一位在 20 世纪 20 年代的牛市中破产的卖空交易商。施韦德成年后的大部分时光都在康涅狄格州的罗维顿市度过，他称罗维顿市为"南诺沃克的雅典"。他喜欢打高尔夫，工作时喝点小酒，只有几部作品问世，现在最为人熟知的是一本叫《小男孩沃奇》（*Wacky the Small Boy*）的儿童读物。1960 年，他曾经画在一件防尘夹克上的自画像作为他的讣告照片登在《纽约时报》上："以前有 182 磅[⊖]；第二次世界大战前的照片中是棕色的卷发；我的一切都归功于我的母亲，小部分得益于其他人；喜欢有趣（但不至于让人笑岔气）不低俗的笑话。"

他一定很喜欢自己的书。

迈克尔·刘易斯

⊖ 1 磅 =0.453 592 4 千克。

致 1955 年的牛市

15 年前，当这本书问世时，无论是金融市场还是作者本人的境遇都和现在大相径庭。法语中有句话说"过多的变化，其实质就是没有变化"。我从来都没有像现在这样想知道它的含义。

人们大多不记得 15 年前有些什么书，我却知道有相当多的对 1940 年华尔街感兴趣的人可以回忆起这本书。并不是所有的这些人都购买⊖或阅读过本书，有些人甚至没有瞟过一眼阿诺先生的漫画，但当我随意地谈及这本书时，许多人都露出欣喜的神情。

这本书历久弥新的魅力正在于简简单单的几个字——客户的游艇在哪里。趁此机会我正好可以披露一下我写作本书的灵感来源：

这本书源自正文之前所提到的那个古老的故事。1927 年，刚开始在华尔街工作时，我就听说过这个故事，其他同行也是如此。它在我的潜意识里存在了十几年。不论怎样它都不是那种能在大公

⊖　这是本书新版中最可靠的一句话，有出处可查。

司讲的故事，因为大公司的人早就知道了。于是我把它加在我第1版书的某个地方，但杰克·古德曼先生（我的编辑）硬把它找出来并作为本书的书名，记得当时我强烈地抗议过，但和许多其他事情一样没有任何效果。后来，我从精通著作权法的兄弟那里得知书名不可以申请著作权，于是我甚至想给我的书换一个更好的名字——《哈克贝利·费恩历险记》(*The Adventures of Huckleberry Finn*)。

这本书出版并被大肆宣传后，我从华尔街的老同行那里收到了潮水般的信件，他们都叫我剽窃者。其中有一位，虽然很客气却一点也不留情面，这位老先生还不辞辛劳地随信附上一本我出生那年出版于旧金山的名叫《闲话者》(*The Tattler*)的画册。我惊奇地发现这句话竟然还被特拉维斯先生念叨过，要知道他可是名气仅次于威尔逊·米兹纳的智者。我还知道特拉维斯先生有点口吃，想象一下在一个寒风呼啸的冬日，在水族馆旁他冻得结结巴巴地说话的样子该有多迷人。他说话应该是这样的：客——客——客户的游艇在哪里？

有一件事很明确：我剽窃来的笑话从一开始就有其价值所在。一个没有价值的笑话，无论有没有我的帮助，都不会历时半个世纪而经久不衰。

我最喜欢的关于这本书的书评（事实上也是所有书评中我最喜欢的）来自于弗兰克·萨利文。虽然时至今日，我还是不认识萨利文先生，但他的书评使得我们两个经济学家有过一段书信来往。他在书评中写道：

施韦德先生认为华尔街人都是无可救药的浪漫主义

者，并且都是孩子，那我们谁不是呢？1937年，当我以40美元的价格购入宾夕法尼亚铁路的股票时，我觉得自己是成年人……

……华尔街可能充满了这样滑稽可笑的哲学家。如果我是 J. P. 摩根先生（没有任何理由怀疑我不是），我将毫不犹豫地聘请小弗雷德·施韦德做我的合伙人。

于是我坐下来认认真真地给弗兰克·萨利文回了一封信，并由《纽约先驱论坛报》转交。

尊敬的萨利文先生：

非常感谢您精彩的书评，但我今天想和您探讨的和这本书无关。

我对您所说的如果您是 J. P. 摩根先生，您将聘请我成为您的合伙人一事非常感兴趣，并且您指出您非常有可能就是他本人。

坦率地说，我现在所从事的行当并不如预想的那么热门。从我的职业生涯考虑，成为摩根的合伙人将是一大飞跃，或者至少是向上的一个台阶。这样，我的前途将和您的真实身份紧密相连。

我希望您仔细审视一下自己，然后确定您到底是杰出的金融家摩根还是仅仅是杰出的喜剧作家萨利文。如果事实上您没有那黑色的大胡子，看来我们的梦想就都要泡汤了。

假如您能帮我这个忙，我将会回报您一个职位。假如将来某一天我变成了奥登·瑞德夫人，我将聘请您为《纽约先驱论坛报》的首席主笔，给您您想要的薪资。当然也要在合理范围之内，相信这一点也是您所能理解的。

我很快就从萨利文那里得到了回信，他确实只是他。这封信太令人失望了，以至于我随即丢了它，但我至今还记得他的主题。他礼貌地指出让我变成奥登·瑞德夫人，对我来说要求太高了，但如果我能使宾夕法尼亚铁路的股票价格回到 40 美元，他将不胜感激。

说到宾夕法尼亚铁路的股票，当时它的价格在 $11\frac{1}{4} \sim 11\frac{1}{2}$ 美元之间，我觉得全身打了个冷战，我对自己说："天啊，这太糟了！"

当我在 1955 年的春天写到这里时，我发现我好像已经为了他把股价推回到 40 美元了。

当今年有人建议我是时候出更新版时，我对自己说：是啊，我要重新认真读一下我的书，并更新那些经不起时间考验的观点，已经整整 15 年了，但经过深思熟虑后我决定斗胆喊出："不要改动！"如果它还能成立就不要改动了，哪怕是一个本国著名银行名字的拼写错误（不知他们有没有辞退那个校对者）。

这本书应该是一本关于我 15 年前经历的回忆录，在那之前，我已经在那个行当中辛苦劳作了 15 年。回忆录不需要润饰，这正是它的价值所在。像我这样的人会选择最诚实的方式，同时也是最容易的方式。㊀

㊀ 1955 年注：唯一例外的是在 1955 年的版本中增加了几条脚注，此处即为一例。

　　这本书写于华尔街最萧条的一年，当时的股票价格很低——几乎是第一次世界大战后的最低点。在股价低时，很少有人对它感兴趣，当时公众对华尔街的兴趣就好像任何时候人们对室内网球的兴趣一样。只有少数几个大富之家对低价股或室内网球感兴趣，所以交易传送机就像一条不起泡的小溪，股票经纪人有时间下双陆棋，甚至写书。

　　但在前几年我还骑着摩托工作时，我对任何事情都充满好奇。我有幸见识到所谓"不可思议的20年代"的最后三年。然后，我突然获得了一个观赏股市大跌的绝好座位，那三个月中上演了历史上生动、悲惨且具有戏剧色彩的一幕。之后不久，我就被迫见识并参与到大衰退中，这次要悲惨得多，并且这场单调的噩梦只有悲惨。这是一场恐怖和无聊并存的噩梦。和我们通常的看法相反，在这场噩梦结束前，对于那些大人物（其中许多是好人）来说这场噩梦同样不容易对付。然后我由衷尊敬的新总统在广播中用最有效的八个字重开了银行（他之前用足够的理由关闭了它们）。和其他噩梦一样，它一眨眼就结束了。

　　四年后，也就是1937年下半年，又发生了一场小悲剧，但这次要简短并有序得多。这之后一直到珍珠港事件爆发的四年中，华尔街波澜不惊。要知道我这里所说的仅仅指华尔街，外面的世界可是瞬息万变。

　　就在我离开华尔街的第二天，股票开始上涨，从此以后就持续上涨。可能这种变化和我的离开并无联系。

　　我再也没有以专业人士的身份回到华尔街，但作为顾客倒是去过几次。你们可能会想这两者之间的主要区别在于我是否在那儿领薪水，错，主要的区别在于这条街对待我的态度。现在当我 11:30 漫步到证券交易所时，没有发狂的经理向我嚷嚷，骂我拖拉或愚蠢，尽管作为一个顾客我通常表现得二者兼具。他们总是对我很亲切、尊敬和彬彬有礼，有时甚至有些谄媚，尤其是当我流露出想买50 股股票时。

如果除了一个拼写错误和一些不成熟的言论外，我的旧版书还有什么会受到指责的话，那可能就是关于投资信托公司的那一章了。在谈及它们时我似乎用了一种屈尊俯就的语气，颇具讽刺意味的是，从那以后这些公司的价值持续增长。

投资信托公司的发展比同时期个股的大幅升值要重要得多，其中的"开放型"投资公司以前数量很多，现在规模也很宏大，更名为"共同基金"。

共同基金并非靠的是投资者的一时兴起，这是管理者辛勤劳动和推销员四处撒网的结果，他们不仅仅局限于有股票买卖意识的沿海地区和大城市。他们给客户打电话，说明他们商品的优势并解答各种问题。无论客户是否对他们的商品感兴趣，他们都会进行电话追踪。他们完全可以和保险推销员相媲美。你一定记得保险推销员吧：刚开始你只是有些厌烦，后来你不胜其烦，最后你只好购买一份保单。一二十年后，你会庆幸自己买了保险，做了一回对国家和家庭负责的人。

15 年过去了，很明显共同基金推销员带给客户的实惠远比保险推销员带来的多，至少目前来看如此。

在第 4 章中，我指出"投资信托公司"是一个不准确的词，应该发明一个更合适的，现在它确实换了却没人感谢我。更具讽刺意味的是，当我对投资信托公司进行嘲讽时，我正大把大把地靠它赚钱。这些"封闭型"公司的股票并不是由推销员卖给我的，而是我凭着自己的判断在纽约证券交易所买的。几年后，股价上涨了一倍，我觉得这很荒唐，就通过纽约证券交易所把它卖给了那些来交易所撞大运的陌生人。这也是全凭我自己的判断。我的计划是当股价下跌到合理的位置时再把它们买回来。

事实上我再也没能买回来，因为股价再没下跌过。我现在都没心情说它们已经涨到哪里了，对于第二次交易我能说的已经超出了词汇丰富的英语所能表达的范围——唉。

可能没有读者会粗鲁到去问一个财经类专业作家为什么他懂得这么多关于钱的事儿却并不富裕，但这并不妨碍读者去静静地寻思。这样的读者应该得到一个合理的解释，尽管这个解释可能并不全面。

金融问题对我来说不只是纸上谈兵，几乎我的全部职业生涯都和普通股票搞在一起。我对高层次的证券不感兴趣。此时普通股票市场已经持续涨了 15 年，几乎到达了自古罗马以来的新高度，但我还是买不起一辆凯迪拉克。

我把这不佳的战绩归咎于我年轻时的态度。当时我和一个玩世不恭的爱尔兰老人共事，私底下我很崇拜他的随意潇洒。我有幸经常聆听到他对自己咕哝他的信条："证券为什么而存在？不就是为了卖吗？所以，卖掉它。"

　　此后，我开始战战兢兢地买股票，一有利润我就欢欣鼓舞地卖掉（当然从来不在六个月内，我并不是个无政府主义者）。我当时觉得我已经实现了人生的梦想——不劳而获，但之后的事实证明我不应该卖掉，买好之后应该像一个肥胖而愚蠢的农民一样，把这些股票紧紧抓在手中。那些农民即使在他们最贪婪的美梦里，也想象不到股票可以让他们如此富有。

很久以前，一个乡下来的观光客去参观纽约金融区的奇观。当他们一行人到达巴特利时，向导指着停泊在海港的豪华游艇说：

　　"看，那就是银行家和证券经纪人的游艇。"

　　"客户的游艇在哪里呢？"天真的观光客问道。

——一个古老的故事

第 1 章

引　言

"一个小诗人的轻咳。"

——萧伯纳

俗语道："华尔街，一头是摇篮，另一头是坟墓。"

这句话很精辟，但并不完整。它忽略了中间的幼儿园，而那正是本书所要讨论的。

很长一段时间以来，我能从交易台这个有利的角度观察这条街每天的运作。从这张台子上，我们可以见识到除日光以外的任何一种交流方式。通过错综复杂的网络，我们每天交换着报价单、订单、骗局、小花招、欺骗和谎言。前四者是经纪人日常业务所必需的，而谎言是另外一回事，并且从长期来看谎言也被证明是无利可图的。

本书的重点是研究谎言——一个像奔流不息的密西西比河一样经久不衰的东西。华尔街的股票经纪人能很熟练地完成他们工作中的报价——小花招部分，有时甚至是极其出色地完成。随后，当他们心情好时他们会加入自己的"思想"，他们总感觉自己在做着很重要的工作。我们同样也不能忽视客户、立法者、媒体和公众自然而然说出的谎言。

我甚至能回忆起1927年年初我第一天在华尔街工作时所听到的种种愚蠢的事情。在当时或之后的很长时间，我并没有刻意留意这些事。这也许是因为我被完整的人文教育体系，尤其是 19 世纪的罗曼蒂克诗歌培养成了专业人士（正如许多其他人一样）。但我并不认为接受商科教育的那些男孩子比我们这些文科男生能更早地从美梦中清醒过来。

在上班的第一天，他们让我自己四处转转，熟悉一下环境。我看到一位绅士在 11 点钟买进了 200 股股票，在下午两点半的时候卖掉了，然后很高兴地在我面前数他赚的钱——足足有 560 美元。很自然，我睁圆了眼睛就那么站着看着这一切，心里有莫名的兴奋。休市后，我小心翼翼地问办公室的学究们：那个客户赚的钱是从哪儿来的？是不是别人赔的？他们都不假思索地给了我答案，但没有一个是正确的。一个头发花白的长者简洁、和蔼地告诉我：客户赚的这些钱是"空方"损失的。一个年轻人告诉我这很愚蠢（确实是），没有人赔钱，这是伴随着美国经济繁荣的自然增长（就在我的眼皮子底下，它就至少增长了 560 美元）。第三个人很自信地说，他赚钱仅仅是因为他跟上了"明显表露出来的趋势"。第四个人用他修剪得很好的指甲点着我的胸脯强调说："年轻人，牛（市）可以赚钱，熊（市）可以赚钱，但猪什么都赚不着！"

这最后一句话虽然语出惊人且发人深省，但和我的问题没多大联系。后来我又花了一段时间才发现它根本就是错的。从此以后，我经常听到这句话，它就像唱给客户的水手歌，鼓励客户进入和退出这个市场，只是比水手歌还更欢快些。

上述这些言论简单地说明了金融的思维方式。它们可以被称为

"会议室经济学"。统计部门的经济学要深刻或复杂得多，它不是在本书中我要向读者们介绍的。原因是即使我懂我也不愿讨论经济学的深奥性，更何况我也不懂。对待我不可能搞懂的问题，我的方法是忽略它们，尽管这不是财经类作家通常使用的方法。

客户赚钱仅仅是因为他跟上了"明显表露出来的趋势"。

请注意，如果有人要我给国民财富下个定义，或建议一下怎样获得它，或说明一下它和我们现有黄金存储量的关系，我也可以像其他人一样夸夸其谈。但这些都是二手资讯，并不是我自己的观点。尽管我自己并非一个深刻的思想家，但我和成百上千的这种人吃过饭。全国洗衣协会的权威数据表明，所有学派的经济学家都在桌布上进行大量演算以找到促进经济增长的方法。这种救赎有时是为了国家，有时是为了自己。

关于华尔街的书籍可以分为两类，分别是赞赏派或"我的天"派和报复派或"把坏蛋赶出去"派。不用说，前者是早期写的，而后者是晚期写的，分界线大约是 1929 年 10 月。这两个学派都没有进行检验，而那些所谓的高贵的职业，深刻地思考，仍然只不过是猜测。本书尽量避免被划入任何一种学派。我对任何经济理论都不感冒，既不倾向于莫斯科学派也不倾向于利率理论。

你可能会觉得本书缺乏数据基础，没有这样的句子："值得关注的是，权威机构指出在 1938 年的第 1 季度，来自股利或租金的收入达 218 350 626.55 美元，占四人或以上人数家庭（至少有一名是工资收入者）总收入的 8.25%。"

我们不能说数据会说谎，但财经文章中的数据通常都有这样的坏毛病——强调小部分事实而忽视其余的大部分。经典的例子是几年前你做超保险投资而购买的股票，当时经纪人向你推销说这只股票的分红可达 50 多倍。然后你发现你的分红只有 5 倍甚至 1 倍。显然，经纪人和他的数据都忘了指出那些巨大的债务优先于你的股票。

　　当然，无论情况多么复杂，如果我们可以确保掌握了所有的数据和注释（这些注释通常或多或少地降低了大部分数据的有效性），我们肯定可以得出一些结论，即便我们只是门外汉。

　　我鼓足了勇气照着华尔街人和事的本来面目来叙述。我们已经掌握了上述两个学派的描述。而股票交易所的主席、大银行和企业的发言人、新交易商、旧交易商、证券交易委员会、来自象牙塔中深思熟虑的激进文章和来自哥伦布广场及联合广场的肥皂箱上非正式但充满激情的叫喊给了我们更多。说他们并不全对一点也不奇怪。但如果他们中没有一个是正确的就很令人惊诧了。最合理的解释是他们中的一些人并不知道自己在说什么；而那些知道的人不讲他们所知道的，或不允许他们相信自己所知道的。用职业摔跤手的话说就是"他们和我们不是同一级别的"，无论是左派还是右派。

金融预言的有效性

　　从理论上来说我们所关注的是一个很简单的问题，但它的含义却比任何参议院的调查还可怕。它关系到华尔街整个的运作——预测价格走向。关于这些预测我们得问：

　　（1）其非常准确吗？

　　（2）其有点儿准确吗？

　　（3）其一点也不准确吗？

（4）和报纸上的天气预报相比，其准确性如何？

（5）和赛马的内幕相比，其准确性如何？

回答这些问题的最好方法是搭乘地铁来到市中心（所有的地铁都到华尔街，说明它确实是一个十分重要的地方）。我们出现在这个举世闻名的最深、最陡峭的峡谷中，经过一系列永不停歇的旋转门，登上急速上升的电梯，几秒钟后我们就可以俯瞰华尔街，并开始我们的第一次金融预测。

在一个舒适的大房子里，那些引人入胜的符号和数字在大屏幕上闪动，年轻的执行助理约瑟夫·维森海默说："看来午饭后会有轻微的反弹。"他只读过两年高中，此刻正靠着报价器，嚼着口香糖，看起来很精明。他正在向周围敏感得像妙龄少女一样的顾客面授机宜，很少有人对他提出异议。当决定命运的时刻到来时（午饭结束时），市场肯定不是上涨就是下跌，要不就是不变。

我们现在离开这个舒适的大房子，进入一间更像教堂的套房。我们历经重重困难通过前台、漂亮的秘书和看起来书卷气很浓的年轻助理，直到到达 S. 雨果·比克的亮光闪闪的桃木大桌前。这里我们期待比克先生给我们第二个金融预测，并且它会立即通过各种网络散播出去。让我们直接跳到他的结论部分：

……很明显在未来的 15 年中，有远见的投资者将更中意那些低利率但兑换性强的金融产品，从而使传统的投资形式相形见绌。

我们现在离开这个舒适的大房子，进入一间更像教堂的套房。我们历经重重困难通过前台、漂亮的秘书和看起来书卷气很浓的年轻助理，直到到达 S. 雨果·比克的亮光闪闪的桃木大桌前。

现在的问题是：这两种预测中哪一种更愚蠢？你可能想其中一种是对的，毕竟它们（或相似的言论）促成了上千万的证券交易。

可能你会认为第二种预测更可笑，因为它听起来如此。

我却并不这样认为，年轻的乔伊不知道这么多词，但他声称他说的和比克先生一样含义丰富。比克先生在哈佛大学同时修了商科和英国文学，这使他的言论显得可笑。鉴于二者的言论都缺乏事实基础，我宣布其功劳是相等的。

现在必须说明他们两个都不是骗子或者假冒者。

如果你问乔伊为什么午饭后会有反弹，他必定言之凿凿。他会说他观察到下降趋势在减缓，股价一直在略高于上次低点的位置徘徊，并且"它们"（无论"它们"是谁⊖）开始蓄势待发。"但不会反弹太多，"他会补充，证明他并不是像旧式银行家那样的盲目乐观者，"它们并不想让市场失控。"

很奇妙的是，这种行话不仅仅在纽约的股票交易所里流行，在全国都很吃香，就好像有人发明了世界语却只是为了不说话一样。

如果你向比克先生咨询他对未来 15 年股市走向的看法，他会滔滔不绝地讲，直到你后悔问了这个问题。他理应知道得更多。如果他能从他的工作中稍稍抬一下头审视一下它的发展历程，他将不得不沮丧地承认很少有金融学家能预测未来两年（比 15 年少得多）的股市走向，并且很多人还会在更短的时间内栽跟头。

和我们另一位朋友一样，他并不是一个骗子。我想我可以给出解释，因为我不仅和经济学家一起吃饭，还和心理学家有往来。据说那些心智不成熟的人更容易相信那些希望是真实的事情。在本例中，如果在华尔街的交易所大厅里说金融市场的未来是不可预测的恐怕不会受欢迎。但我们希望孩子尽快成长，去面对往往与美好愿望相反的严酷现实。

然而这对于大部分罗曼蒂克的华尔街人（无论是坏蛋还是慈善

⊖　如欲进一步了解这一秘密，请阅读第 6 章。

家）来说要求太高了，否则他们也不会选择这样一个充满梦想的职业。他们一直为自己或顾客做着关于征服、出奇制胜和权力的美梦。

假以时日，有些华尔街人会放弃这些梦想。但他们从不放弃最终的梦想：在金融业的兴衰中包含一个蕴含丰富的可预测的秘密——通过仔细研究这个秘密可以证明些什么；它可以告诉初学者什么时候有反弹或给投机者大赚一笔的机会，或者为几代人保证其不动产有 4% 的收益。然而你自己的、身边人的经历，或那些愤世嫉俗的书中确凿的例子都证明所有这些都是不可预测的，只是这样对一个华尔街人来说太残酷了。

预言的热情

华尔街的起源是一棵法国梧桐，买方和卖方以前在那里碰头。那棵树完美地起到了一个市场的作用，成了想做金融生意的人的必去之地，在那里，交易的步骤也逐渐固定并被大家熟知。但很快经纪人转向附近的咖啡馆碰头，并开始在金融交易中加入预测，接下来发生的事是，这种预测几乎毁了这个行业。

轮盘赌的操盘手并不会说他知道哪些数字会跳出来，他只负责下注和防止欺诈——这是一个要求很高的工作。

但在华尔街上无论是最老的合伙人还是最年轻的跑腿的都不满足于仅仅做一个操盘手。长久以来，这造成很多不幸，而人们不愿做操盘手，有人性和经济两方面的原因。

首先从人性角度看，顾客们都有一个不好的习惯——喜欢询问市场走势。假如有人有幸被你问一个很难的问题，他会给你一个非常详细的答案。很少有人会说："我不知道。"——这才是最难得到的回答。

　　普通人喜欢在早餐时给妻子和孩子讲下个月阿道夫·希特勒会做什么，这只是无伤大雅的虚荣罢了。但他很容易就此发展下去，开始跑到市中心去告诉人们下个月美国钢铁的走向，就会使人倾家荡产。

普通人喜欢在早餐时给妻子和孩子讲下个月阿道夫·希特勒会做什么，这只是无伤大雅的虚荣罢了。但他很容易就此发展下去，开始跑到市中心去告诉人们下个月美国钢铁的走向，就会使人倾家荡产。

从经济角度讲，毋庸置疑，你的预测越多，你的业务量越大，从而你的佣金越高，但我们都知道根本不是这么运作的。我怀疑是否有华尔街人会坐下来对自己冷静地说："今天我将编造一个怎样的公鸡和牛的故事给他们讲呢？"当你在揣测别人的思想和内心时，不可能很精确，但以我多年的个人观察，一般的思维过程要简单得多。股票经纪人通过他对未来的预测来影响顾客，但他首先得说服自己。对他来说最不幸的是他十分想说服自己，并且最后他勉强成功了——这通常更糟糕。

跑腿的（那些在金融区跑来跑去传递证券和支票的年轻人——有时是年长者）对未来股市走向的意见一点也不比老合伙人少，尽管他们不能靠这个赚钱。他们在电梯里对电梯操作员滔滔不绝，像一个免费的投资顾问。这些预测者相信自己的预测，最好的证明就是他们按此行事来买卖股票。目前，证券交易委员会正在制定新的规章试图限制这种自杀式行为。

一个伟大、有远见的金融家死后，他的遗嘱执行人在保险箱后面发现成捆的最没希望升值的证券，这些证券的名字老早就被人忘记了。尽管这些遗嘱执行人的资产还不如这些证券面值的1/10，但他们还是会惊奇地看着大捆的证券说："天啊，老家伙到底在想什么，留着这些垃圾有什么用？"

牛市何时结束

你们可能会发现，虽然我一直在说明金融预测的无效性，但我

并没有举那个最著名的例子——发生在 20 世纪 20 年代末最大的误
算，韦斯特布鲁克·派戈尔怎么说的来着——"极端荒唐的年代"。
我回避它有两个原因。其一，那些十年前上当受骗的人很爱引用
它，它已经被提及了成千上万次。其二，这也不全是华尔街的错，
它堪与历史上其他几个全民大蒙昧相比，比如地球是平的，或当一
个人生病只要给他放点血就行了。

　　道上一直流传着在 20 世纪 20 年代末期有些精明的华尔街人
已经意识到价格太高了。这种人肯定有，但也没给他们带来什么好
处。有人听见安德鲁·梅隆先生咕叨着什么"绅士只买公债"，但
我们并不清楚他这是事前的建议还是事后诸葛亮。罗格·贝森先生
好几年前就预见到崩盘了，但和其他事一样，在他突然正确之前，
他已经错了好几年。在这个行业中有很多熊——因循守旧的人，他
们听不进别人的建议。他们中的许多人在这个阶段后期随大流变成
了牛。那些在股价大跌时还处于空方的人过早地平仓了（谁又不是
呢）。当价格降到很低时他们赚取了利润并拿来买了股票（谁又不是
呢）。假如他们买的不是时候，他们就加入了早期由投机者创办的
"清洁工"这个秘密组织。"清洁工"是一个开放的组织，到 1932
年所有参加过投机活动的人都拿到了它的会员证。

第 2 章

金融家和占卜师

对华尔街上所有工作进行分类将很费时并且乏味，功能的细分是没有底线的。比如政府公债的电话交易和不动产的电话交易是截然不同的（1929年，我认识一个小伙子，他每周靠整理交易台上的电话线就能赚25美元，如果这都不是繁荣的话，那什么是）。

让我们划分得更粗一些，从上往下看（华尔街通用的工作方法）。首先是精华部分——保守的银行家。

大银行：你不太可能得到的好工作

行事稳健的银行家是令人印象深刻的典范，长期养尊处优的生活使其浑身散发着健康的光芒。他正襟危坐，整日里用不同的语调和语气说着"不"。他位于或接近金融大帝国的顶端，这些金融帝国由谨慎、精明和稳妥引领着，已经接近1900年的财富水平和声望。

他一年只说几次"是"，他的原则是只把"是"保留给那些有钱的大企业，否则会被其他银行抢了生意。他的工作是把钱借给不太需要钱的人。在萧条时期每个人都需要钱，那时他就尽量不放贷，但是通常对美国政府除外。

同样，在繁荣时期他是一个慷慨的放贷者。他也许慷慨得过了头，以至于若干年后当有不友好的委员会委员质询他当时的想法时，他竟然记不起来了。

如此这般，我相信他已将工作做到极致。长久以来，他没有受到任何指责——没有关于他的丑闻；他的账户要么没有损失，要么是慢慢减少，至少没有一下消失殆尽。当有人向他咨询投资建议时，他立马选出一些 3A 证券，这些证券的收益可能不是很高，但如果投资者像银行家一样富有的话，问题也不大。这种类型的投资贬值的概率很小，但也没有升值空间。如果生活成本提高，投资者会发现租房和日常开销有点紧巴巴，但他不会去找银行家。他的证券仍然维持在略低于他购买价的水平上。

一个真正稳健的银行家不会卷入疯狂的投机大潮中，他使我想起一位医生如此评论他的同行："他的医疗知识少得可怜，以至于如果他想伤害病人都不可能。"所以他稳稳度过了 1926 ～ 1928 年，但不幸的是，1929 年他进入了市场。他开始很谨慎，像一个老处女在房子的隐秘角落试用口红（看到那些冲动的年轻人在三年中赚得盆满钵满，再稳健的人也无法坐视了）。但他后来又抽身而出，虽然损失了一大笔钱但毕竟没有倾家荡产。他很后悔自己当初的放纵，并重新开始做回那个 30 年如一日的认真听且总是说"不"的自己。

几代以前弱肉强食，最初的资本积累做的是实打实的买卖，比如卖烈酒给印第安人。现在这些财富继承人彬彬有礼、呆若木鸡地坐在那里，也许他们并不像表现出来的那么愚钝。我怀疑他们也认为买卖证券是一个无聊的行当，至少为顾客买卖是这样。他们并没有向公众解释其原因，只是在能保住经营许可证的前提下能少做就少做点。

那些根基雄厚的大银行家下面是形形色色的小银行家，后者就不得不经常说"是"了。原因是理想的贷款者（那些不需要钱的人）是不会光顾他们的。他们的客户都需要钱，小银行家必须时常为他们贷款，否则就要关门大吉，而这是绝对不行的。像华尔街人一样，银行家不能允许自己什么也不干，一般的华尔街人当无利可图时可以短暂休整，然后突然发狂一样地做一单事后被证明颗粒无收的买卖。他不是一个懒惰的人。

即便生意兴隆的股票经纪人也时刻想着变成不那么赚钱的银行家，其原因令人费解，大概是社会地位的提高吧，但这是一种令人悲哀的现象。有一个股票经纪人，他经年累月积攒了大量的佣金，忽然摇身一变成了一个小银行家。他筹集了 50 万美元（大部分来自他和他的岳母），他把这笔钱借给一家生产和销售新型汽车燃料的工厂，其产品比汽油便宜、无味、节能，但最终事实证明只有在晴朗、无风的日子里，这种燃料才可以驱动汽车。

一些重要的助理

公众很少有机会接触到大银行家，因为很不幸他们都不是富人。对穷人来说，通过富人的接待员比穿过针眼还难。我们现在说的是那些可以经常打交道的金融界人士，比如合伙人、客户代表[⊖]、交易部主管和统计员们。即使对他们也有这样的趋势：重要的合伙人只和大客户来往，而最不成功的客户代表则愿意和任何人打交道。如果客户代表只是坐在那里盯着空地发呆就不妙了。他应该培养对户外运动的兴趣，比如橄榄球，并和他的朋友在电话里低声谈论这个话题。这样，他和他的办公室就显得生气十足。

这些绅士都要各尽其职，但不幸的是他们不仅满足做好本职工作，还热衷于对未来进行预测。统计员应该收集数据，电话交易员应该忙于电话交易，合伙人除了担当客户代表外，还要处理棘手的行政事务，客户代表的职责是告诉客户正在发生什么和已经发生了什么。但正如我先前所抱怨的，他们坚持加入对未来走势预测的行列。几乎所有其他人也是如此行事，其危害堪比日本人的战斗机。

合伙人在其装修豪华的私人办公室里进行预测，客户代表则在交易大厅里进行自己的预测。习惯坐在交易室内的客户都是那种喜欢扎堆儿闲聊但不属于任何一个俱乐部的人，所以不适合在交易大厅做深刻思考。但不论怎样，客户代表还是尽力得出和合伙人一样的不幸结论。

我对那些成功"做市"和利用线路（如电话、电传和电报）进行交易的人怀有无比的崇敬之情。这是一个技术活儿，需要很多特殊才能，包括好记性、计算、好名声和制造假象、看透假象的能

⊖ 客户代表目前有了新名称。本书写作时，有关部门正在考虑是否称其为"注册代表"。我认为这不可行。因为"注册代表"太拗口了。

力。交易员的能力越强，做得越好，水平较高的交易员对正在交易的证券在未来 5 ～ 20 分钟内进行判断。这种短期的预测是合理的，因为大量的信息通过各种渠道涌向他们，但是，一旦他们得闲，他们就试图预测未来 5 个月或 10 个月的事。他们对此和其他人一样无能为力。

习惯坐在交易室内的客户都是那种喜欢扎堆儿闲聊但不属于任何一个俱乐部的人。

顺着大厅下去就是寂静的统计员办公室。聒噪的收报机或喋喋不休的客户都不允许进入这里，这些思考者被大部头参考书和来自各地的最新消息包围着，他们手执游标卡尺，众所周知它比魔杖要科学得多。他们对种种"特殊情况"做详尽的分析，最终几乎对这个企业无所不知。只是除了一点，即进入下一个会计年度后不久，这家公司就申请了 77B[⊖]。

　　一旦一个统计员建立起高深莫测的美名，他就毕业了，成为一名经济学家。于是就有了一个带着公文包到处游走的经济学家，他的公文包在金融界以最大、最重著称。他被大家邀请四处参加会议，由于他不够强健，只能由随从们为他拎包。我曾经和这样一个随从共乘一部电梯，他被大公文包压得像一匹不堪重负的马。

　　"这是 Z 先生的吗？"我问道。

　　"嗯。"他毫无生气地回答。

　　"听着，"我说，"你们为什么不在拉链上沾上一小条纸？这样你们就知道他是否打开过公文包了。"

　　"我们就是这么做的，"他忧郁地说，"他没打开过。"

　　一些统计员每周甚至每天都要写"市场报告"。这不是一个轻松的谋生手段，这不仅需要经常做出预测，还要将这些预测付诸笔端以备有兴趣的人查看。有时这些报告会随着一罐芥末寄回，寄信人强烈要求作者将芥末涂在报告上吃掉。那些紧张、敏感的统计员有过几次这样的经历后竟练成了令 19 世纪德国形而上学学者艳羡

　　⊖ 这是新政时期新创的对"破产"的另一种文雅的说法，但最终仍需破产，现在被称为《钱德勒法案》的第 10 章。

的散文体。这里有一段我最喜欢的从《华尔街日报》上剪辑的文章，我一直把它带在身边四处炫耀，直到它变得字迹模糊无法辨认，正如它当初的讳莫如深一样。这篇文章有一个争议性的标题——《市场建议》。

　　一家著名的交易所声称：在从四月的低谷缓慢回升的过程中，道琼斯指数从 121 点上升至 139 点，市场表现出技术反弹的迹象，但幅度不会很大。正如预期的那样，接近 140 点时会有阻力，但经过一天的下跌后，成交量减少，目前市场呈现出一种模糊的巩固运动，并可能找到鼓励大量买入的强力，最终清除阻力。

　　如果有思想的读者倒着读这段话，会发现其含义丝毫不受影响。我为它谱写了一段吉他曲，从文章最神秘的部分——"市场呈现出"——开始，具有出人意料的效果，简直可以用作超现实主义芭蕾舞的主旋律。

思想之花的果实

　　当统计员和经济学家表达观点时，他们往往得出和合伙人以及客户代表一样的结论。把这些结论总结一下，其主旨是：涨了就买，经纪人说卖就卖。很明显华尔街人不可能不按此行事，他不可能在跌时买入，因为股价下跌说明形势严峻。你无法要求一个有经验的华尔街人在货物运输量刚刚跌破新低、失业率达到顶峰、钢铁产量不及平时一半、一个大人物（我当然不能告诉你他的名字）信心十足地告诉他一个中西部大型承销商正陷入巨大危机时去购买股票。

对每个人来说都不幸的是，这是仅有的股票下跌的时期。当形势好时，有远见的投资者买入股票，但此时股价也很高。随即，警铃还未响，形势又变坏了。股价下跌，这时经纪人给有远见的投资者发一封电报，这是他能从华尔街得到的唯一一条没有"假如"和"但是"的融资建议。

华尔街语义学派

有两句俗语也为"买涨卖跌"这个古老的错误观念提供佐证，即对这个问题——"行情怎么样？"的通常回答："正在上涨"或"正在下跌"。我觉得与其找个新名词代替"客户代理人"，还不如找一句合适的论断来替换这两句俗语。我觉得最合适的是："到现在为止，交易价格一直在持续上涨。"但这句子太冗长。

我们可以说一个活塞、电梯或高尔夫球在某个时刻在"上升"。这意味着它不仅之前一直在上升，在之后至少一小段时间内还会持续上升，因为它的动力在某种程度上还在运作。但这并不适用于股票市场，因为它并非实物，不服从牛顿运动和惯性定律。不幸的是，我们大部分人都不知不觉地相信这个错误的类推，这样我们只在上升时买入，在下跌时卖出。但当股价突然剧烈上涨时，没有理由相信下一个瞬间它也上涨而非下跌。孩子们啊，这就是玩法罗赌牌⊖的人所说的爷爷被骗的原因。

⊖　一种猜测庄家一组牌出现顺序下赌注的纸牌游戏。——译者注

图表学家

我故意把一小撮狂热的图表分析员分出来专门讨论，他们的工作就是预测走势，如果他们不能胜任只好另谋高就了。长期性预测是他们安身立命之本。

我不相信他们可以精准地预测未来，也不认为他们可以构思出能说服别人去认为他们可以的方法。有些人暗地里相信这些图表，有些人则半信半疑。比如安格斯少校[⊖]，在介绍了几个美国图表体系后突然似是而非地总结道："所有这些理论都是一时的而非一世的，因而是危险的，虽然有些时候有点用。"除了"有点用"外，这句话也同样适用于用抛硬币来决定买还是卖。这两种方法都是无效的。图表理论确实吸引了特定的客户群，这是它的用武之处，但安格斯少校并没有提及。

图表分析家并非根本不关心各种"条件"——洪水、饥荒、瘟疫或战争。他用描述整个市场或某个商品的上涨和下跌的图表（最简单的那种）武装自己，他对此进行研究，远离股票行情播报器。他声称可以从不规则的线条中识别出它的行为模式，并且特定的波峰、波谷和波动告诉他何时会再次如此。他们的技术术语包括"头肩形""双头""双底"和"突破性缺口"。

这是对图形最直白的描述，经常被解释得过分烦琐，这通常只在绘制装车量、银行清算、政府公债收益和太阳黑子时才是有

⊖ 安格斯少校是最坦率、最引人注目的公众预言家之一。他曾做过几次令人印象深刻的预测。据我所知，他很少用图表。这里引自他的著作《有价值的投资》。

必要的。

总是有许多可怜虫忙于查看以往仅出现在轮盘赌中的上千个数字，期望找到某些可能重复的规律，悲哀的是他们通常都能成功。

让我一个不具有同情心的人试图解释图表分析的技术奥秘没有多大意义，也不公平。对于这个问题我已经听过很多回解释，但可能我遗漏了某些支撑整个理论的基本点。并不是我一个人如此，比我聪明的人都不能或不愿研究这门科学。作为一门科学，我得说，图表分析和占星术有着共同的理论基础。只是大部分图表分析员都受过教育，因而不愿把占星术当回事儿。

这门学科缺乏因果联系。比如当一个学生盯着道琼斯指数图看时，无论他靠得多近，他所看到的都是清清楚楚、明明白白的对过去行为的描述。如果一个人可以通过已经存在的线条来预测未来的话，那么必须有这样一个前提："历史可以自我重复。"历史的确以某种模糊方式重现，但这种重现是迟缓和沉闷的，并且存在着无穷的变数。图表学家却试图运用类推方法去精准地预测下个月甚至更短期间的价格走向。这让人想起那些农夫的万年历竟大言不惭地预测未来一年天气，农夫们可以通过以往的经验判断出夏热冬冷，但却绝不可能推断出每天的天气。

我曾经建议一个向我解释他理论的图表学家，既然我不是他的顾客，他没必要向我布道。我犯了一个社交错误：他被深深地冒犯了，好像我侮辱了他的信仰。可能事实确实如此。

通过我的业余研究，我得出的结论是：图表学就是以一种复杂的方式得出一个简单的原理，即如果价格在相当长的时间内上涨，那么它将继续在相当长的时间内上涨；反之亦然。

原理很简单，但事实并非如此。最简单的推翻它的方法就是找一个绘制正确的图表看一看。

人们普遍认为华尔街的图表学家是相当玄妙的专业人士，但他们大都莫名其妙地破产了。有一个破产的图表学家从不怀疑自己的理论，他甚至比你偶尔碰到的还未破产的信徒更虔诚。如果你不知趣地上前问他破产的原因，他会坦率地告诉你：这是人类不信图表的劣根性所致。这种天真的想法使他心安理得，宁愿承受大笔的损失而不愿失去对他深爱的图表理论的信仰。

报酬

是时候讨论一下商业社会中大家普遍关心的问题了——他们的收入怎样。正因为这和我们无关，所以每个人都感兴趣。正如一个人在听完别人用复杂的词语解释相对论后的反应一样："爱因斯坦就以此为生吗？"

我不知道，也无从知道华尔街人赚了多少钱，我干脆这样做答：

在华尔街（包括南拉萨尔街、蒙哥马利街、市场街、斯泰特街和沃纳特街等），每年有超过 10 000 人年收入逾万。这就有上亿美元，正如那些男孩们指出的这可不是一笔小数目。

如同诗歌一样，上面的表述仅仅用来陈述一个观点。这个观点的争议性在于华尔街是地球上收入最高的地方。这段表述和诗歌还有一个共同点，其细节是粗略的、不准确的。上面的数字只是作者毫不费力地拍脑袋想出来的。

可能从某一时刻来说上面关于收入的数字是错误的，并且这个数字每年都在发生巨大的变化。10 年之前，你可以有把握地说有 25 000 人一年的收入高达 25 000 美元。之后赚钱的人数和金额都有所下降。

不仅上述数字是模糊的，而且动词"赚"的使用也是不规范的。按照通常的理解，每年"赚"10 000 美元意味着工资或佣金的收入，但上亿美元的金额不是"赚"来的，而是赢来的。但我们不能忘记通常是赢少输多。

如果将所有因素考虑在内，我们有信心说华尔街是地球上收入最高的地方，也有可能它不是。

"赚"钱的难度

有少数天才确实能"赚"上万美元，比如，少数人有智者的声誉，他们赚取大量的咨询费。也有一些合伙人和客户代表有大量忠诚的客户，他们也可以从佣金中赚取很多收入（只要他们自己远离附近的交易窗）。

现在，让我们把目光转向一个小富之人，他在纽约证券交易所中被称为"两美元经纪人"。他做的是"干净"的工作，没有可疑的或昂贵的小把戏。他完全靠执行其他经纪人的指令来赚取小笔佣金。他的办公室只有一张桌子、一两个职员，日常成本几乎为零。他的所有要求就是从大公司获得合理的费用，这几乎就是他的净利润。为避免上瘾，他不从事投机活动，由于不和外界打交道，他也不关心行情的涨跌。

由于他的高效、可靠和受欢迎，他揽了很多业务，结果在过去的 10 年中，他平均每年获得 20 000 美元的净利润。但 10 年前他为了这个位置付了 300 000 美元（不久后，它的价值就翻了倍）。现在这个位置还不值 100 000 美元。我们不禁要问：

（1）经过 10 年忠诚且成功的工作，他赚了多少？

（2）如果他拿着他那 300 000 美元在家待着，结果会怎样？

我们引用上述例子是因为它很简单，但无论在华尔街还是在公司里都没有如此简单的会计问题。记账员和指令执行人在薪水中扣除他们的午餐费就可以算出他们赚了多少，但是除此之外，这个层面之上的会计问题愈发混乱。

一家大公司有很多合伙人、很多席位、强大的获利能力、巨大的资金成本、庞大的日常开销和各种证券。每晚格子间中的职员只有在清算清楚后才能回家，但弄清楚公司到底是赚还是赔往往是最困难的。

我知道一个金融机构，它的内部准则是如果有超过 6 美分对不上账，会计就不能回家。谁也说不清楚这 6 美分在上百万美元面前的价值所在。

如果他拿着他那 300 000 美元在家待着，结果会怎样？

不需灵感的艺术

有一位老先生说会计不是科学而是艺术，他在中西部城市拥有一个颇具规模的百货公司。我在此为那些感到迷惑的华尔街合伙人或从业人员提供他的记账方法。

老先生饱受他儿子和审计员的干扰，他们试图向他表明虽然业绩看起来不错却是亏损的。他们搬出大量的分类账户和报表以证明自己的观点。最后老先生发话了：

"听着，我 40 年前用过的手推车现在还保留在六楼的储藏室里。上去看看它，检查一下，除此以外，你们看到的都是利润。"

1938 年以来，一些真实的证据表明会计不是艺术而是一种思想状态。那一年发生了两件会计界的大案——麦克森－罗宾斯案和州纺织厂案。这两家公司靠着人人都以为存在而事实上并不存在的资产红极一时。每一个人啊，除了那两个分别用一支笔、一点儿墨水和高超的骗术创造出这些资产之外的每一个人。如果没有人发现其资产根本不存在，这两家公司的股票就不会大跌。

从这一点看，这不属于会计问题而要归到玄学范畴了。伯克利主教曾提出过一个经典问题：一棵大树在森林中轰然倒塌，但如果森林里没人的话这棵树发出响声了吗？他认为没有，我也这么认为。假如主教大人活到现在，我相信他必定对这个问题感兴趣：如果一个大公司倒闭了，要是没人知道的话会给任何人带来财务上的损失吗？

一个小智力测验

作为对本章的补充，我给年轻人提供一些建议，讲讲什么人适合干金融这一行而什么人不适合。华尔街被太多根本不懂概率论和数学的从业人员给拖垮了，他们如果从事其他行业说不定会有成就。毫不夸张地说，想要进来工作的年轻人必须具备一些特殊的心理素质，这绝不像在休息室听完罗斯福夫妇的故事那么简单。

当然，如果你能言善辩、锋芒毕露，你也可能在这条街上混出个样子。你可以卖掉大宗的证券，完成大笔的交易并促成大公司的合并。即使你的这些技能还未必尽善尽美，你仍然大有市场。但是如果会哄骗、迷惑、引诱或压制别人，你在商业社会的任何地方都会所向无敌。所以，如果你恰好不善于判断现实风险，你最好去别的领域发挥才能。不妨去销售悬臂桥或发动一场革命。

用下列六个问题来测试一下，如果你不能毫不迟疑地回答它，就算你错。

（1）你能清楚地知道玩一个有两个零点的轮盘赌的目标是什么吗（如果你不知道，就不要费力做一个金融家了，去做轮盘赌赌徒吧）？

（2）如果一个人连续四次掷出正面朝上，那么你认为他第五次最有可能掷出什么，正面还是反面（如果你认为都有可能，那么去玩室内装潢游戏吧，你天生就是做这个的料）？

（3）你要凑成顺子，什么时候要牌最合适（答案在你赌黄豆的时候）？

（4）如果你能正确回答问题（3），你觉得当你赌钱时你还能那么要牌吗（如果不能，待在家里守着你的钱好了）？

（5）如果一只股票不分红而只是以一股拆两股，股东得到了多少好处（如果你觉得股东得到了实惠的话，下来加入我们的销售队伍吧，千万不要靠近交易部）？

（6）商业企业的主要目标是什么？这个问题专门针对想要进入金融业的年轻人，会有层出不穷的商业人士向他们寻求帮助，这些年轻人必须学会只帮助其中的少部分人而对其他人说"不"。答案是基本和明确的：商业目的就是赚钱，这一点人人头脑里都有，但只有少数可贵的年轻人对这一点是刻骨铭心的。

大部分商业人士认为自己要赚钱，而这是他们做这一行的主要目的，但通常他们都在自欺欺人。还有其他许多更具吸引力的事情，比如：生产出好的产品、提供好的服务、增加就业、革新工艺、使自己出名，或至少给自己提供足够的谈资。我认识一些商业人士，他们的主要目标是证明自己很精明而对手都是傻瓜。这能带给他心理上的满足而非金钱利益。我还认识一些人是为了向他的合伙人证明这一点。

所以如果你知道——必须是真正知道——商业的目的是赚钱，那就给自己一个高分吧。

第 3 章

客户：难伺候的主

客户可被简单地称为花钱的人。对股票经纪人来说没有客户是他的职业噩梦。首先他的佣金减少，难以维持日常开销。接下来的事情更惨，他将天天无所事事，最后对下双陆棋都失去兴趣了。于是，他们开始用自己的钱而不是客户的来买卖股票，就像在社交淡季沙龙主办者自斟自饮一样，并且其结果也一样。我认识几个即将开公司的合伙人，他们彼此发重誓绝不用自己的账户经营，但是每个人都有成为客户的强烈愿望，包括经纪人。如果他们是股票经纪人，也许可以抵制炒股的诱惑，但会让别人为他们进行奇妙的皮革和贵金属投机，而自己置身事外。我曾经听到证交所的会员对他的合伙人大加抱怨，他说："我们基本相安无事，但有一件事令我非常不满，就是每次我出去午餐时，都会有场外经纪人溜进来向亨利推销！"

客户类型

除了满怀希望的个人外，还有许多其他类型的客户，如储蓄银行、人寿保险公司，如果它们能成为你的客户，那就再好不过了。

这不仅因为它们的成交量大，而且你也无须催要保证金，因为这个可恶的旧政府不会允许它们成为真正的投资者。还有许多其他类型的公司可以成为好客户，尤其是投资信托公司和火险公司。

巨额遗产继承人，甚至富婆也是令人满意的客户。富豪之家觉得最好给他们的儿孙设立家族基金，儿孙们可以每周从中支取150美元，就好比为他投资了25万美元。但最好这个年轻人有点愤世嫉俗和懒散，而不是雄心勃勃。否则他可能一心想着要把他的资产翻倍，这反而会使他一无所有。好工作可以赚钱，但却不值得为之冒险。

客户中大部分是个人，最顶端是富人和兴旺的商人，底端是为数众多的满怀迫切希望的散户。他们没有银行存款和保险，却有炒股的不良嗜好，他持有1 000美元的股票，为此他连本带息一共欠了400多美元。

最后这种情形几年前很普遍，直到政府采取措施严禁小账户的保证金买卖。我经常听到有人说这是一个自由的国家，为什么富人可以暴富而穷人不行？这是一个很好的问题，但因为我不认同它，所以也不愿深入探讨。

怎样得到客户

正如我所说，得到富人做客户的最简单方法是生在这样的家庭。如果不行，华尔街的美少年只能娶一个了。据我所知，只要追求她们即可，经过长时间的追求，她们无论是作为顾客还是新娘，都失去了魅力。

除此以外，可以用医生招揽病人、律师招揽当事人一样的神秘方式去得到客户。你可以四处招摇来展示自己的才能。比如打打桥牌，来表明你有驾驭复杂问题的能力并可从中赚钱。但奇怪的是，如果你去打高尔夫球的话效果更好，即便这只能证明你有一个强壮又灵活的背部。

不玩游戏的人只能用一副显示智慧的金丝夹鼻眼镜来武装自己。所有人都会在聊天中略提自己的公司如何在股市大跌的两个星期前卖掉所有股票和股市大涨前他们已经开始建仓的逸闻。好像他们从华盛顿那里得到了内幕（我相信他们指的是华盛顿特区而非乔治·华盛顿总统）。

百老汇大街之所以行车缓慢是因为挤满了客户代表。在他们的回忆中，他们近十年都没有犯过一次错误。

1928 年，我认识了一个叫汤米的客户代表，他对赢得新客户颇有一手。那也许并不是个好方法，但却是他的方法，其中一点是把桌子放在离门最近的地方。每当有陌生人进来，汤米就让他的助手上前去问有什么可以帮忙的，就好像守株待兔，但 1928 年这种方法是可行的。例如，一天一个手里拿着奇怪东西的年轻人一出现在门口，汤米立即靠过去。

"我能为您做些什么？"他礼貌地问。

"我约了一个人，他说可以在电话上安一个装置使谈话内容不被外人听到，并且会更卫生。"

"你说什么？"

"我约了一个人——"

"很抱歉，他刚出去吃午饭了，"汤米说，"不过你可以在这儿坐一会儿等他。"

这个年轻人感激地坐下。汤米最终卖给他 200 股阿纳塔克期权。一场短期、不盈利的合作就这样开始了。

保证金

美国人认为保证金交易是一个颇具吸引力的创新，就像他们买好房第一件事就是把它先抵押出去，即便自己还没有入住。其逻辑是他只需缴纳大概 6% 的抵押款，如果他不能用这么一大笔钱赚超过 6% 的钱的话他就没资格经商。这是另一个我不能也不愿深入讨论的问题。

这种逻辑极易延伸到保证金交易。我们觉得花费 1 000 美元以每股 10 美元的价格买入 100 股联合铸币公司的股票是一项精明并有利可图的投资，因此，如果同样用 1 000 美元能买 200 股不是更好吗？如果能找一个好的经纪人买上三四百股岂非更妙？

答案是否定的。但我只知道一种方法来证明它，让我们试试看吧。

试验时我们要用真金白银，"想象中的赌注"是不行的。就如同生活中任何一种丰富的情感一样，亏大钱的感觉绝非文字所能形容。艺术无法使一个小姑娘理解做妻子和母亲的感觉，无论是通过文字还是图画。在这儿，我也无法形容出损失了大笔钱的感受。

　　保证金要求现在统一了，但以前很多顾客光顾不同的交易所希望可以用最少的钱买到最多的股票。当终于买到了"便宜货"，他们无须等待，马上就体验到了带上桎梏的感觉。正如伊迪·坎通先生几年前所说的，"他们让我买这只股票养老，这太有效了，不到一个星期我就变成了老人！"

　　那些寻求低保证金要求的客户通常都是保守派，他们只想快速转手赚一点儿就行。同样他们也希望不要赔太多，只是这个想法要模糊得多。见好就收很容易做到，在损失很小的时候就收手却通常只是美好的愿望。最后，客户发现他不断地往里投钱，直到所剩无几。

　　我听过一个老经纪人对此事的描述："他们在中央车站上了 20 世纪有限公司的列车，他们只想乘车去 125 大街看望祖母。但首先他们应该弄明白的是他们正在以每小时 70 英里[⊖]的速度驰骋在印第安纳州的福特维尼。"

堤坝决堤后怎么办

　　如果一个客户收到补交保证金通知，他有很多种选择，但没有一种是合适的。也许最好的方法是运用本能，给他的经纪人打个电话让他顺着绳子爬上去，或用绳子想干什么就干什么，反正是不会再给他钱了。这除了能使你自己得到解脱外，还有一些其他好处。

　　⊖　1 英里＝ 1 609.344 米。

经纪人会卖掉你的股票，然后寄给你剩下的零钱。这笔钱少得不值得存银行，或许你可以用它来做些真正有意义的事，比如给厨房的地板铺一块油布。如果你刚卖掉的股票又开始上涨了，你就不要再阅读金融版，眼不见为净。

给他的经纪人打个电话让他顺着绳子爬上去，或用绳子想干什么就干什么。

　　第二个方法是搞到更多的钱（上帝才知道怎样搞，但你总会有办法的），然后再投进去。这就是著名的"手指堵堤漏"（不断加码补仓）方法。这很奇怪也很可怕，但出于某些原因，即便在一个人饥饿时，他更容易凑到的也是补交保证金的 1 000 美元，而不是买晚饭的钱。这种办法通常可行，但也是自杀的常用方法。

　　第三个方法非常普遍，即"把头埋在沙子中"，适用于鸵鸟一样的客户。一旦从报纸上得知他们的股票跌了，他们尽量避免获得正式的通知。他们拒绝听电话，或不接电报，有些甚至躲到缅因州的树林里。他们这样做很有问题，其结果是经纪人像对待使用第一种方法的人一样卖掉他们的股票，只是卖得更迟了一些，这就意味着不只剩不下多少零钱，客户还欠了经纪人一小笔。

　　有时过了很久，鸵鸟客户会向法院起诉经纪人，说他从未收到补交保证金的通知。这时如果客户藏在缅因州的密林中，他可能仍然得不到通知。在初级法院的陪审团面前客户可以如愿以偿，因为陪审团对这类案子的通常理解是他们不喜欢经纪人。但如果案件涉及很多钱，经纪人上诉，不设陪审团的高级法院只能判客户败诉了。

　　我曾经认识一个英国文学教授，他经常收到收信人付邮费的补交保证金电报，他不仅要交保证金还要付电报费。我对如何应对补交保证金通知没什么高明的见解，但我知道至少你不应该付那电报费。

一些案件历史和对策

　　有些客户通常不能摆脱这种想法：这是一场经纪人和客户的竞

赛，看看谁能赚到谁的钱。其中一些人到现在还觉得 1929 年他们损失的钱都跑到了经纪人的口袋里，即使听了长篇大论的解释，在私底下他们仍然这样认为。对他们来说，那些花花绿绿的钞票就那样蒸发了是难以想象的。

当我回忆起 1928 年那个英勇的小客户时仍然深受感动。他正好赶上那年罕见的股市低迷期，欠下 700 美元的保证金。这意味着证券公司很乐意得到 700 美元，因为这样可以省下以后很多麻烦，并且还可以在股价下跌得更厉害之前支取 400 美元出来应急。客户激动地说："好，好，不要注销我的账户！我会筹到钱的！"很快，西部联盟邮递员送来了 500 美元和一张字条，上书其余的款项马上就到。中午时分另外 100 美元到账，13:30 时又寄来了可怜的 25 美元。15:00 当他们几乎忘了他时，他打电话了："我不行了，"他绝望地说，就好像比利小子用光了最后一颗子弹，"我无力筹集剩余的 75 美元。我只有放弃了。"

当然，也有聪明、富有的客户。1929 年年初，他有 750 万美元⊖，基本都是在前三年赚的。他的聪明之处在于：用 150 万美元来买自由债券并交给他妻子，他郑重其事地说，"亲爱的，这些债券现在是你的了，这足够我们后半辈子的开销。我会继续投机赚钱，但无论在什么场合下我向你要这些债券，都千万不要给我，因为那时我肯定已经疯了。"

6 个月后，为了捞回他确信只是暂时损失的 600 万美元，他需

⊖ 这是一笔大的有些愚蠢的钱，但还不至于破纪录。

要一笔保证金。他去找他的妻子要钱但被拒绝了。最终他还是说服了她并要到了债券，但同样一去不回。

所有上述**客户都被这样的心理问题折磨着：憎恶金钱，或"恐惧持有现金"。**

憎恶金钱者总是尽可能多地买证券，他们一旦卖出股票获利后马上迫不及待地购入其他股票。奇怪的是，他们经常有着节俭的精神，即不把钱浪费在吃喝和及时行乐上。假如他们打一晚上桥牌（每局 0.25 美分）输了 17 美元，就会垂头丧气地回家。但可能在同一天，股市的轻微下跌使他们损失 500 美元，他们却并不在意，因为他们心爱的股票还在。虽然不言自明的是，每当股市崩盘，他们也随之崩溃。

他们绝不能容忍账户上有钱，不论其时间多么短暂。万一股价上涨呢？他们除了一些用旧的脏钱，将一无所有。

以生钱为职业

最早的客户从何而来？可能我使人们觉得做一个客户不那么有趣，从一段时期的平均收益来看确实如此。相关的统计数据已经清楚地表明了这一点。

但一个人的生活中不能只有面包。买卖股票还有其他吸引力，那就是我们称之为精神层面的东西。它源于下列环境：

我们中很少有人能凭借自己的服务或才能一星期赚 100 美元。对一个出色的销售员或顶级的杂技演员或许很轻松，但这种人太少了。

如果一个人手里有点钱，无论是 2.5 万美元还是 25 万美元，他都希望利用这笔资本再加上他的头脑和努力赚到更多。他很乐意去"工作"，实际上他坚持这样做。只有通过"工作"，他才能获得尊严。只有这样，他才能在俱乐部中说话有分量，才能在傍晚回到家后对妻子有所交代。这没什么好被嘲笑的，这些价值和日常用品一样是必需的。

我给"工作"加上引号是为了区别于某种具体工作，如做一个印刷工、炼铁工、巡视员或侦探。这种工作对有资本的人不具有任何吸引力，作为他们的一员我深有同感。

有资本的人可以成为一家公司的业主或合伙人，公司需要他的钱，可能也需要他的服务（无论是否需要，他都坚持提供）。所有这些公司——从生产胸衣到签发海运保险——都具有投机性。这就是说成败取决于他自己的努力，但更取决于行业的经济环境。他的资本以这样或那样的方式用在购买商品上，然后他为这些商品提供服务，并寻找买家，获得合理的利润。如果这些商品的价格上涨，他就大捞一笔；反之就损失惨重，即便他全身心投入其中。虽然他无时无刻不在进行激动人心的投机活动，但是他看上去并非如此，因为他终日忙忙碌碌地"工作"。

现在，活跃在华尔街的客户通常是有些资本的人。他像他的住别墅的朋友一样，希望他的资本可以为他带来可观的回报。他也愿意并急于有所事事，所以他就买卖股票。同样，他在电话里的声音急切而神秘——他的担心甚至有过之而无不及——他甚至出席新闻发布会。不同于住别墅的朋友的是，他遗漏了两个步骤。

第一，他不必去学，或者对复杂的投机技巧一知半解。几乎任何人都可以在数周之内学会发出、限制和"停止"指令，以及与之相对的行话。

第二，股票投机者也会斥资买入那些会带来合理回报的商品。比如，买 100 股美国电话电报公司的股票，但只有他在持股期间疏于对这些股票提供忙碌的服务。他既不精炼它，也不推销它，更不会点缀它。他只是希望这些商品的市价马上上涨，这一点倒和住别墅的朋友相似。

"正常的"企业主和股市客户在道德上抑或经济上还有其他更多的区别吗？他们都绝不甘于为了 3 分利投资，然后待在家里玩花弄草。另外，企业的会计数据和客户账户上的数据都讳莫如深。他们都强烈感到自 20 世纪初以来，待在家里远离任何一种办公室无疑是明智之举，但是这样的生活太乏味了。

选择在钱伯街附近拿自己的钱去投机生钱的人无论如何都不能预知他的命运，他只确保一点，只要还有钱拿来生钱，他就绝不会感到无聊。

第 4 章

投资信托公司：承诺和实践

投资信托[⊖]的基本理念堪称完美。但是众所周知的是，美国信托公司在实践中的表现却令人失望，甚至是灾难性的。这就使得研究其理论承诺和实际表现之间的鸿沟成为一项有趣的工作。或者，如同乔治·埃德在书中谈及一个系统学习高尔夫课程的球手时所说的："最后，他的理论知识完美无缺，但是每轮的实际得分却羞于见人。"

这个基本理念为我们所熟知：一个普通人无力掌控自己的金融命运——这一点在他的人生中可以轻易得以证实。更糟的是，除非很富有，否则他买不到最好的金融建议（我们姑且假设存在这样一种最好的金融建议）。

我们中的很多人显然不懂魔法，于是就把钱集中起来，雇用一些专业人士去猜测。他们并非魔术师，但他们拥有一切必需的东西——经验、声望、训练有素的职员、内幕消息和不可限量的研究

⊖ 投资信托是个不幸的名字。这些公司不能信任。无论如何，信托在金融中是个冒险的词。如果可能，我宁愿称它们为"投资公司"或"团体投资"，以求更为正确和便于宣传。

资源。我们的集资通常在上亿美元左右，我们有能力向他们支付报酬。只要他们大显身手，付酬给他们也不失为一笔划算的买卖。

人们认为他们可以胜任，或者至少比我们强。如果有人向他们建议购买氢氧化钾矿藏股票，他们不必像你我一样去听取别人的第四手信息。他们派遣矿藏工程师去科罗拉多好好看一看，再另外派人去别处调查一下氢氧化钾的需求量。

或者他们考虑投资一家大型的公用事业公司。这家公司下面有子公司，子公司又有子子公司，子子公司又有子子子公司，公司结构如同福塞茨（Forsytes）的家族树一样。当你我试图弄清情况时，却只见树木不见森林。但是投资信托公司有许多优秀人才[⊖]，可以像求解 π 一样轻松搞定整个局面。如果他们有什么搞不定的话，会直接给公用事业公司的 D. H. 马卡马克先生打长途电话，马卡马克先生会告诉他们。这种询问经过他层层的秘书保护网就像一颗气枪子弹穿过黄油一样便利。

不要再犯错误了

如果投资信托的理念能像听起来那样一半好的话，普通投资者除了投资信托就不会购买其他任何证券了。依然可以用高尔夫理论来说明：**如果赢得 B 级乡村俱乐部冠军对你很重要，而规则允许你**

⊖ 这是对我们高等教育的积极启示。受捐助的大学经常遇到投资问题。他们会向教经济学的教授请教吗？肯定不，他们甚至不会想到这一点。因此，没人知道如果去做了，会是何种结果。这件事通常让那些头脑清楚的受信托人或校友来做。结果呢？随着时间的推移，许多合约未能履行。这些受信托人摆脱校长，匆忙中再找捐助人。

以合理的价格雇用吉恩·萨利仁替你打球，你会傻到自己去打吗？

这是一个无懈可击的类比，但是还有一些疑问。萨利仁先生在打高尔夫方面比你我要强得多，这在每次他走向第一个球座时就表露无遗。但迄今为止，历史上没有任何一种可行的办法能证明管理资产组合的能力。

我没有用信托公司自己常用的有力论点——"分散风险"，它的意思是保守的投资者在购买金融产品时不会"把鸡蛋全放在一个篮子里"。这个论点听起来比实际上要好得多。分散的金融资产不会很快贬值，因为"鸡蛋"不会一下子全坏掉（在这种机制下增值也不会很快），但这种安全机制运作得并不好。当钢材股和汽车股大幅下挫时，基本上所有资产组合中的股票都会随之下跌。高等级股票可能会保持坚挺，现钱当然更不错，但在这悲惨时刻，股民手中不可能有太多这两种东西。

普通的小投资者应该分散经营，他可以靠每种股票买 5 股而不是买 100 股来实现。因为他这样做而增加的成本可以忽略不计。如果他的资金少得连这样都做不了，他就只能拿一部分钱去买人寿保险，一部分钱存进银行，剩余的钱当作零花钱。

困难在哪里

如果投资信托能像理论一样运行，它将对提高国民福利起到非常大的作用。对一个人来说，其财产的重要性仅次于他的健康和权利。有了钱，他可以雇用私人医生和律师，这肯定对他有所帮助。

为解决精神问题，他可以雇用心理咨询师，得到很不错的理疗。如果家里的管道出问题了，他可以请管道工。这样的话，他为什么不能聘请投资信托公司来帮他处理金钱事宜呢？

如果家里的管道出问题了，他可以请管道工。

我估计他之所以不这么做是因为他没人可雇。如果有这样的人才的话，那些高薪虚席以待的大投资信托公司早就发现了。管理合同中关于经理的薪资有如下规定：如果经理能持续创造佳绩，他将获得可观的收入。可以肯定的是，如果这些经理有能耐，他们会很乐于把它贡献出来。

鉴于我上述的解释不被世人所接受，我将尝试用其他方法。最主要和普遍的观点是不诚实。这是一些金融作家长年聊以度日的经济来源，他们用盗窃（当一群人负责处理成百上千万的金钱时产生出来的）来解释所有的经济问题。

这种两面派的行为一定在所有的投资信托中存在，所有你需要做的只是选一个你认为信誉一直不错的代理机构。你将面临和遗产唯一继承人一样的问题，遗产有三个执行人，他们全是你的叔叔——一个是律师，一个是经纪人，另一个是房地产商。由于这样或那样的压力，他们同样会对你不利。和信托管理人一样，他们可能会屈从于利益的冲突。比如，一家投资信托和银行有那么点关联，银行有可能会把自己卖不掉的证券卖给它。如果公司是股票交易所的会员，会有大量有利于交易所的股票买卖存在。如此种种，无穷无尽，令人作呕。

这都是无可否认的，但我知道现在有很多信托公司其诚实性是毋庸置疑的（如果你想私下里向我讨教相关事宜，就要付费了）。但不幸的是，我并不能保证他们的脑袋是否灵光。证券交易委员会已经让投资信托管理者没什么好日子过了。我们还必须认识到：在一家拥有良好声誉的大信托公司工作的管理者其报酬是丰厚并令人嫉妒的。可以有相当把握地说，他们不太可能全体屈从于偷窃的诱惑。很少有人天生就是做贼的，他们大多由于某些个人情况而失足。20 世纪 20 年代的幻觉早已经落后了。[⊖]

近年来，经常有人寻求法律的帮助来制止信托公司的欺诈，这都是站在投资者的立场上的。但悲哀的是，没有法律能制止愚蠢。我没兴趣把我的资金交给一个聪明的骗子或一个诚实的傻瓜来管理。但如果逼着我选，我会选择骗子。在财物归还令和警察的帮助下，我还可能从骗子那里讨回我的钱，但从傻瓜那儿，我只能得到诚恳的，甚至是眼泪汪汪的道歉。

和穷人一样，我们都要缴税。投资信托利润的税率现在是诱人的 18%[⊜]，毫无疑问这是基于以下理论：一个没有灵魂的公司不会在意这种谋杀性的税率。首先，信托公司缴一笔税，然后如果投资者有幸赚到钱的话，他们对同一利润再缴一笔。这就是赌马的人所说的难以击败的赌注登记簿。

投资信托公司应该向大型化发展，因为这使得其成本降低。一旦公司规模扩大，投资理财的难度也会相应增加。买 50 000 股股票不容易，但要卖掉更难。如果报纸上说股价上涨了 20 点，股票的账面价值涨了 100 万美元，但利润的实现完全是另外一回事。

较之美国的投资信托公司，英国和苏格兰有着更好的纪录。它们历史更悠久，这种成熟的经验与国民性格和观点的差异使之更成

⊖ 瞧我说的，本书就是针对这些无用的公告而写的。这是写于 1940 年 1 月。如果我们今天还沉迷于快乐但毁灭性的繁荣的话，读者尽可以放声大笑，由我负责。

⊜ 不适用于开放式信托。

功。国外的信托公司才是真正意义上的投资公司，因为其目的是保存资产并创造盈利。而美国的信托公司并不清楚其目标所在，因而也无法坚持。许多美国信托公司渴望的是收入而不是资本积累，但美国的股民不耐烦了。发行信托公司的股票的目的是售完。如果不承诺给点小甜头的话，你很难卖给美国人任何东西。

通向地狱的公司建构

到目前为止，我们一直在讨论管理型信托公司，即一群管理者通过推理或其他方法来决定该做什么。20 世纪 20 年代后期异军突起的固定型信托公司[⊖]也值得一提，哪怕这只是为了找一个好愿望带来坏结果的例子。固定型信托公司的基本理念是为了去除人性中的弱点，我们必须承认它确实需要被清除。因而其被这样设定：一劳永逸地列出"最好"证券的清单，购买这些证券并把它们放入投资组合中，然后就永远不要再动它们了。有一个前提，如果证券不分红了就卖掉它，这样就自然而然地规避了愚蠢和欺诈。

这种方法——也许你没听说过——造成了巨大的灾难。远在这些蓝筹股停止分红以前就已经在走下坡路了。所以只要有一次不分红，这些僵化的信托公司马上纷纷抛售其股票。更糟糕的是，一些可恶的人看穿了这一点，早就卖空了他们的股票。

⊖ 现存的信托称为固定型信托，但并非以书中讲述的僵化形式存在。它们中有的被称为"特殊工业"信托。利润只流向一种证券，如化工公司股票、银行股票或铁路股票。这种有选择的投资似乎很理智。不管是否理智，我会让你在 5～10 年内知晓。

"最佳"证券的困惑

自动的自我毁灭计划现在只是金融史的一个注释。但选出"最佳"证券这种提法仍需要密切关注。那些不同级别的投资公司对"最佳"的理解都随时间而变迁。可悲的是，那些被认为是最好的其实质是最流行的——最活跃的、最经常被人谈及的、被炒得最热的，从而是当时价格最高的。它是一种时髦，像欧尼仁帽子或打蜡的胡子。当蓬蓬裙流行时，人们都去买运河股；当曳地长裙兴起时，铁路股和交通股也时髦起来。认为工业股在 20 世纪 20 年代后期风行还是低估了它，之后几年中政府债券和收益率几乎为零的免税证券大行其道。其中零星地点缀着一些一时兴起的小流行，如"战争宝贝"、汽车股、银行股、房产抵押证券和可转换证券。

我们很难为一个固定的投资组合选择出"最佳"证券。其实无论出于何种目的，我们都很难挑选证券。不可改变的是，这种购买最流行证券的做法在一段时间之后会产生不良影响，对富人尤其如此。这也适用于管理型投资信托公司、保险公司、信托账户、经纪人和投资顾问以及个人。

本书不打算对新证券的承销发行做任何讨论，但需要指出的是其中也存在这样的问题。当外国债券流行时，银行家十分偏爱发行新的外国债券[⊖]，对其他从黄金股到播种机改良票据都同样如此。原

⊖ 鲁里坦尼亚王国利率为 7% 的 5 000 万美元外部黄金贷款债券就是这样发行出去的。当时，鲁里坦尼亚王国的总理取走了包销花费后所剩的 4 400 万美元，并脑子一热，将此钱送给了一位金发女郎。

因很简单：第一，这是他们将其卖掉的唯一机会；第二，只有在此时，他们才对这个证券有信心。

有一个关于在大银行和信托公司任职的信托经理的故事。[一]他在阅读报纸上的股票版时来回晃动钢笔，他让手下们看看当由墨水印子而不是专家来选择股票时会出现什么结果。结果表明其损失要小得多。银行选择流行的证券，至少四溅的墨水印子是公平的。我对这个小故事唯一的质疑在于会不会有这么一个信托经理肯冒险做这个试验或把它的结果传播出来。

1937 年出版的一个小册子[二]为我们提供了更为清楚的例证。它分四个不同时期选取了 1901 ～ 1926 年股票交易所的 20 只最流行的股票和债券。"最流行"指的是当年成交量最大。拿它们当时的成本和 1936 年年底的价值做比较，其结果非常令人失望。三年后的今天来看，它们贬值得更厉害了。

75 万美元的呆鸟

1929 年大恐慌时投资信托公司的经理们经常要召开紧急会议，半夜三更，这些脸色苍白、疲惫不堪、犹豫不决的人们围坐在大桃木桌前，并尽量避免和其他人的眼神接触。他们所有的信条都被击溃了。

突然，一个经理沉稳并坚定地说："还不知道这种事态还会持

[一] 参见《如何聪明地输掉你的钱》，费里德 C. 凯利著。

[二] 布朗兄弟哈里曼公司编著。

续多久，两个月前在 350 点卖掉的 A 股和 B 股（都是当时极其优秀的蓝筹股）已经快跌到 200 点了，可能听起来不可思议，但我觉得有可能跌到 150 点。如果我们能在 150 点时买进 1 万股，你们不认为是千载难逢的良机吗？这有可能不会发生，但我们不应当在机会来临时准备好吗？"

他富有煽动性的建议使勇气像星星之火一样在会议室蔓延开来，大家积极表示同意，面颊上也有了颜色。

"赶快记下来，"其中一个人对在场的 20 岁的指令执行助理说，"在 150 点购入 1 万股 A 股和 B 股，未完成前不得取消指令。"

助理听话地趴下去写，同时嘴里嘟囔着什么。虽然他声音很低，但人们还是清晰地听到了他语带轻蔑地说了声"呆鸟"。

马上每个人都觉得没那么自信了，开始讨论其他的一些议题，不久，这个提议被取消。我的线人证实这声小小的嘟囔为公司挽救了 75 万美元。但助理并没有因此而受到嘉奖，因为没人敢于承认他和取消交易之间有任何联系。

致歉

为了解释为什么美国信托公司不能实现理论里的光明前景，我前面仅仅列出了它的一些缺点。这种方法对辩论来说并不公平，我尽力避免使读者遇到和乡村法官一样的难题："如果你们两个年轻人各执一词，让我怎么拿定主意呢？"

投资信托有很多优点，但读起来都不如它的缺点有趣。讲老实话，我们永远不能忘记这样一个事实：信托公司是在大衰退的 10 年中艰难成长起来的。

我禁不住想业务比 5 ～ 15 年前做得好了不知多少倍，时间和变化带给今天的信托证券投资者几个具体的好处。投资经理人学会了一两样东西。通过无用功的洗礼，信托公司开始变得更干净并更理智。即将被吊死的黑人说："这对我来说是个大教训。"如果这些教训还不够清楚的话，我们现在还有证券交易委员会，他们不知疲倦地致力于防止投资信托公司经理们的周期性精神崩溃。

假设你觉得现在你的一些资金应该投入股市，你直接问我："你觉得一个知名的投资信托公司在选择股票和股票交易中会做得比我好吗？"我的答案是：是的，我宁愿这样想，虽然这可能连一句赞美都称不上。人们都认为当你生病时去看医生比你自己看着百科全书给自己开药方强。医药科学和股票买卖虽然不可相提并论，但人们却普遍认为可以如此类比。投资信托原则的支持者宣称他们正朝着专业化的方向迈进，"并且正当其时！"从大厅里传来一个声音说。

神奇的投资公司

根据历史纪录，我必须更正这句话——**所有的投资信托公司在股市大涨和大跌时都表现得像个猴子。这句话的正确率是 99.44%。**

曾经一度有两家由已故的约翰 W. 波普管理的小信托公司，它们像被施了魔法一样。确切地说，这一切发生在金融史上最不可能的时期——1929 ～ 1931 年。关于这两个公司的所有事情都和其他信托公司相反，包括别人输大钱而它们赚大钱。波普先生的所有智慧和哲学都和我前面说的华尔街人的必然的做法相反。他对1930年12月31日以前的状况的描述非常简洁，所有的钱都以现金和银行短期贷款形式存在，奇怪的是，这恰恰是当时应该做的。他的话还饱含深情，依据我的记忆引用如下：

"本公司的管理者相信，精挑细选的、分散风险的投资组合经过一段时间后*不会增值*。"(斜体字是我说的)

他的经营业绩比其上述原则更加令人吃惊。他的公司经常只持有一个金额巨大的头寸，并且是空头头寸（几乎所有的信托公司都禁止持有空头头寸）。当然经过这段时期，利润月复一月，甚至日复一日地减少。

约翰·波普于1931年去世，真是死不逢时。他当时还很年轻——可以说他是金融界的济慈或雪莱。我们现在无从知道他的神奇纪录是否能保持，他是否能一直像当时的他一样做一个伟大的例外。

第 5 章

黑心肠的卖空者

我记得读过一本小说，讲的是关于一个特别可恶和可恨的富人。在提到这个富人的种种恶劣品质时，作者描述了他是如何挣到第一桶金的："经济大恐慌时卖空股票，从而使自己获得惊人的财富，而与此同时，无数人因此陷入贫穷和毁灭。"

　　这段话充分表达了对于卖空者笼统而普遍的愤慨（这种愤慨不仅仅存在于恐慌期间和恐慌之后——经济繁荣时期，卖空者所受到的关注和那些进行诉讼教唆的人一样多。在1929年10月以前，除了他们自己的家人，没有人反对卖空者，而家人主要是怕破产）。

　　虽然总的感觉很模糊，但有两个本质却相当清楚。一个是熊市抛售者有点像放高利贷[⊖]或者盗窃珠宝的人——只要你愿意做道德败坏的事，这就是一个轻松的生财之道。另外一个则是对社会有害。

　　在审查这两个论断之前，我必须提到一个人类自古就有的倾

⊖　我建议那些年轻的笨蛋都可以从事这项古老的高利贷职业，并能从中轻易获得成功，这并没有冒犯国家高利贷者协会的意思。高利贷也许是最稳固的赚钱行业，它需要从业人员智慧而勤奋，并且还要有厉害的性格（并非是个好性格）。关于珠宝盗窃者，我没有可靠的信息。

向，就是把普遍的不幸赋予某个人。当"无数人陷入贫穷和毁灭"时，只有那些有想法的人才会问："到底发生了什么事？"普通大众的喊声是："谁对我们做了这些？"以及随之而来的"让我揍他一顿！"社会公众就像带着绳索的发怒暴徒一样四处发狂。他们如同过去船上迷信的水手，想要寻找约拿（《圣经》中希伯来的预言者）来投锚入水，或者通过古撒冷城会议，来找出是哪个巫婆杀死奶牛的。

受损害的一方无法控制不稳固的信用膨胀或者引力定律，他们更满足于让 J. P. 摩根先生——完美的财富化身，来到华盛顿，找一些猥琐的人问他很多他无法给出满意答案的问题。

然而，摩根先生和那些大银行家们并非合适的替罪羊：毕竟，想要把他们不适当或据说是违法的行为和我们自己糟糕的处境联系起来，是需要面临一些精神压力的。他们搅乱了国民信用（每个人都知道这是什么意思，即使他不能给出一个详细的解释），或者他们还做了一些别的更糟糕也更难以理解的事情。

不过，我们自己的糟糕处境是再清楚不过了：我们用保证金账户买进了几百股广播公司的股票，可是保证金却慢慢不见了。起初，我们是从自己的连襟那儿得到这个小道消息的，而他又是在一次户外聚餐时从一个非常厉害的大人物那里获得的信息。那个人，尽管非常厉害，但远不如摩根先生，甚至从来没有见到过摩根先生或者任何其他的"强盗大亨"。

但是，那些卖空者又是怎样的呢？现在，我们越来越接近事实了。就在我们充满希望、积极地想要购买那些股票，以期望获得更多收益时，那些黑心肠的家伙正在四处兜售，而他们手里根本就没有股票可卖！他们总是希望事态愈发糟糕，认为这只股票会下跌，而且促使它下跌。多么残忍！多么不正当！多么可耻！为什么社会能容忍这样的家伙，而不能包容那些为了保险费把房子烧了的人？

辩方的观点

我已经尽我最大的能力，声情并茂地陈述了对卖空者的控诉，在我看来这是最合适也是唯一的方式。这些观点是百分之百情绪化的。

老资格的华尔街人总是用一番关于卖空者的经济甚至是社会效用的复杂演说来为其辩护。根据他们的观点，卖空者的出现使得市场更接近也更稳定，"缓冲"了大幅度下跌所带来的"震惊"。他听起来像一个好心肠的妇女，拿着一篮篮的糖果分发给穷人。他是一只被认为想要过好日子的熊，在他实现自身作用的同时也帮助牛（两者的比率是 100 ： 1）过上了好日子。波利亚娜⊖盲目乐观的双重言论就是一个很好的例子，这也是经纪人事务所的一般论调。

毫无疑问，熊的确在一定程度上使市场变得"更近"（一个接近的市场是指买家和卖家能以较接近的同一价格进行交易的市场。听华尔街的经纪人谈论它，你也许会得出这样的结论：接近市场是人

⊖ 美国作家依莱娜波特小说中的女主角。

类最珍贵的幸福之一）。想要证明熊让市场变得多么接近有点儿难度，因为它很少进入那些不是很接近而且相对不活跃的市场。在宽敞的市场里卖空股票有损失的风险，如果你那么做，可能像孩子们说的"在洗一个恐怖的澡"。在经济衰退期，卖空势力的出现不可否认在某种程度上"缓冲了冲击"，但如果想凭此就把它称作人类福利的一个重要因素，这并不够。

贾斯逊斯·荷尔姆斯先生曾经以更为哲学的方式为卖空者的行为进行辩护：

"……当然，在现代市场中，合同并不局限于即时清结的买卖。人们努力预测将来，并根据他们的预言达成协议。有能力的人进行这种类型的投机是社会根据可能性……做出的自我调整。"

这段话说的是谷物卖空行为，而非股票。因此这里引用它更多的是由于其雄辩性而不是相关性。

另一种辩方观点

许多年以来，纽约证券交易所一直都在为其中的卖空势力编造图表。这些图表显示出每周卖空者出售了多少以及平仓了多少，不管情况是好是坏。对于数据的分析（每个人都能拿到这些数据），让作者揭露了以下令人泄气的事实。这些事实，反过来，恰恰正是卖空者真正需要的辩护材料。

首先最重要的一点是，卖空者的影响微乎其微，这一点本身也是一个彻底的辩护，但让卖空者难以接受。出于许多技术上的原因，他们在市场中精确的参与率不能够得到公平的说明，[⊖]但是份额很少。我想说他们的影响（不论好坏）九牛一毛，微不足道。

这并不是令人惊讶的消息。名副其实的卖空者来自那些人数较少的阶层——职业交易者——而他们中只有少部分人肯定能成为熊。这项职业，尽管不违法，但确实不正当，也很残忍。想要卖空股票首先要克服一些心理因素的影响。

偶尔，有的客户被劝说尝试了一下。但当他刚进行完卖空交易，他就变得极度悲惨，直到他补进了，不管盈利或损失，他都只能那样了。由于某个微妙的原因，一想到自己欠了别人一些他没有的股票，就令他难以忍受。他已经习惯，而且认为理所当然，他可以欠人一些他没有的钱。与前者相比，这种状况根本很少让他担忧。当他随意地从经纪人那里借钱购买股票时，即使该股票下降了5点，他也相当平静。但是，当他卖空了，股票哪怕上升了3/4点，他也立即变得绝望。在他看来，这只股票可能会涨到1 000点，尽管几乎没有股票曾涨到过那么高。而当他购买时他根本没有考虑这只股票会降到0点，即使这正是许多普通股票最终清算时的确切数据。

当他卖空时，他对所有别的事情都会没有安全感：可能会被警

⊖ 在那些权威的、不可靠的数据中，1939年卖空方总的份额对总成交额比率达到3.65%，这好像彻底证明了我的观点。事实并非如此，其主要价值在于表明这种假的、不完整的数据在争论中经常被随意引用（但是，我亲爱的读者，这就发生在我身边有确切数据的时候）！

　　几乎有一打的隐藏因素可以使这个作为衡量卖空者影响的数据失效。它们中有的使结果高些，有的使结果低些，有的只是显示出这个问题没有得到准确的衡量。

察抓起来。我认为这种感觉的产生来源于那首经典的两行诗：

> 那些出售不是自己东西的人，
>
> 必须把它买回来，否则就要坐牢。

上面这首诗，不是一首特别好的打油诗，也不一定特别正确，但它从丹尼尔·德鲁大叔的时代就一直流传至今。没有哪个投机者在听过这首诗之后还能忘掉。现在，应该有个诗人站起来，从另一方面提出有说服力的警示。下面这首诗怎么样呢？

> 那些购买他买不起的股票的人，
>
> 绝对不是那些高呼"万岁"的人。

这首诗很押韵，内涵也很准确，但它是一首让人害怕的两行诗，所以似乎也不是那么受欢迎。

有熊和没熊的差异

也许那些反对卖空行为的人最主要的理想是市场不会剧烈下跌。这个理想要是能实现，就和暴力悲剧可以从生活中被根除一样令人怀疑。可以确定的是，即使消除卖空行为也根本不能阻止这些灾祸的发生。这种论调是经验主义的；一个人只需要看看那些卖空行为受到禁止、不可能出现、受到限制或得到允许时的市场情况就会明白了，如下所示：

（1）独裁者总是立即禁止卖空行为，因为他们不允许职业的悲观主义者存在。现在，不管读者大体上会怎么看待极权主义哲学，我认为其不会对他们证券市场的状况感到羡慕。

（2）不管房地产是多么巨大的投资媒介，都没有任何卖空行为，因为不可能借此到将来进行清算。但是投机性的房地产市场的稳定性又如何呢？价格经常上扬，然后当这个运动终止时，价格又下跌了。事实上，也许这样描述更形象：在房地产繁荣后，价格根本就不是"下跌"，而似乎是蒸发了。

像小麦、黄铜或者胡椒这样的商品能卖空，且惯例也是这样做的。它们的价格在经济衰退时会跌得更快。没有一个公平的方式来从数据上比较这些价格的下降，但是通过观察我发现，这些商品价格的下跌比起投机性房地产市场还是很有规律的。

（3）就在纽约证券交易所的大厅里，几乎每一件与这个争议有关的事项都得到了彻底的检验。1993 年以前，卖空者能随心所欲地做他们想要做的事。在那种体系下，除了萧条的时期，我们还经历了鲁莽的繁荣和自杀性的恐慌。自从那种时代，卖空者的活动就被严格限制，以至于你那单身的姑妈再也不能抱怨他们的罪恶了。随后的情况基本相同，只不过那种萧条的状态更为明显。那段时期似乎没有对国民经济做出任何有用的贡献。[⊖]

（4）任何时期，想要比较那些含有卖空行为的股票和不含有卖空行为的股票的运动都很容易。两种情况中都要选择一个公司历史业绩突出的股票。不活跃的上市股票根本无法引起卖空者的兴趣，许多在"柜台"外交易的重要证券也是如此。

⊖ 当市场萧条到一定程度时，一些经纪人开始挨饿了，但对于某些人来说，不管对国民经济有何影响，这本身似乎都是一个完美而称心的结局。

　　如果市场普遍下跌，情况会怎样呢？让我们把那些交易活跃并含有卖空行为的知名股票称为"特拉华美国流行股票"（证券交易经纪人行情室的小伙儿亲切地称之为"流行股票"）。另外一个类似等级的股票很少交易，称为"音乐联合会股票"。没有人敢卖空多达100 股的"音乐联合会"，因为可能一周内都不会出现一位卖主（也没有这样的买主）。两只股票的报价都是 75 美元，这就是说，"流行股票"的实际交易价格就是 75 美元；"音乐联合会"最后以 75 美元的价格交易是发生在前天，现在它的报价和标价是 75 ～ 80 美元。

　　　当市场萧条到一定程度时，一些经纪人开始挨饿了。但对于某些人来说，不管对国民经济有何影响，这本身似乎都是一个完美而称心的结局。

现在市场果然普遍暴跌。风暴过后，它的原因就再清楚不过了。无论如何，股票行情自动收录器开始咔嗒作响，就像惊恐的长臂猿一样。"流行股票"以选手离开起跑线的速度开始下跌，一路滑到 70 美元以下时，勇敢地止跌回升了一点点，几乎每次报价都以 1/8 的差别上升。而"音乐联合会"股票则如同一个呆头呆脑的人，沉着冷静地保持 75 ～ 80 美元的报价。

其间有一个小时的平静。接着，下跌的狂潮开始了，市场"价格暴跌"。"流行股票"仍然沿着刻度尺向下玩转着大多数的装饰音，迅速跌破了 70 美元大关，甚至来不及停下来向震惊的旁观者挥一下手，就继续朝低音部下滑。最后，这个灾难的消息传到住宅区的俱乐部，几个"音乐联合会"股票的持有人认为也许此时卖了这些股票比较好，但他们得到的报价有些问题，是 60 ～ 75 美元。由于他们不想以 60 美元的价格出售，所以"音乐联合会"仍然没有实际的变化，除了这个已经改变的、令人不满意的报价。

过了两三个星期之后，当这种波动已经停止了，市场恢复平稳，你可能会发现两只股票都以 55 美元的价格在悄悄出售。在这种情况下，我们都会同情"音乐联合会"股票的持有人，他们没有足够的机会出售自己的股票。然而，同样有可能这种下跌的波动三天后就停止了，三个星期之后两只股票又悄悄地以 75 美元的价格出售。此时，我们同情的对象又变成了那些众多"流行股票"的前持有者。三天来，他们像被蛇催眠的鸟儿一样，神魂颠倒地看着报价 1/8、1/4 地下跌。当价格降到 64.75 美元时，他们一边用苍白的嘴唇嘀咕着诅咒的话，一边凭借着"特拉华美国流行股票"知名的流动性，把它全部卖出去了。

熊市袭击行为

我故意把最糟糕的熊市袭击问题留到最后。在讨论卖空行为时，每个人，不管赞成的还是反对的，都认为熊市袭击超出了人类行为的合理范围。至于他们一致而彻底的谴责是否是发自内心，我无法知道。

熊市袭击行为是继续对价格无情的屠宰，在价格已经被实际经济灾难严重扰乱的时期，进行卖空。这种袭击就是落井下石。

袭击者的其他操作更为技术性，也不引人注目。其中之一就是努力把某只股票压低几点，期望"触发"一些停止损失指令。如果成功的话，该股票价格仍然降低，至少暂时会这样，这就给袭击者提供了获利的机会。即使没有停止损失指令，看到自动收报机纸条上下降的价格也会使一些股票持有人害怕，从而抛售股票。这至少是袭击者的假设。

还有一种代价更高的操作，但可以获得更多的利润，那就是促使股票下跌到保证金账户清算通知书都要放出的程度。由于许多通知是得不到答复的，因此股票在大约 24 小时以后又会进入另一个急剧下跌的时段。这种现象通常极为明显，甚至可以用"理论"这个词来称呼袭击者的这个观点了。

目前，对这些行为的谴责如此之普遍，以至于没有人愿意为其求情，正如没有人愿意为盗墓者说话一样。然而，我宁可穿上防弹衣，也要发表以下评论：

> 首先，不要忘记熊市袭击行为不是件容易的事，不管你如何看待其道德性。长期看来，它成功和失败的次数差不多。偶尔，当市场处于他们所不期望的最低点时，他们会跳出来摘星星，其后果是这一小群悲观的坏人立即被卷入并且遭到毁灭。当然，国会不会去调查是谁对他们下的毒手；没有人会为他们哭泣。如果你还认为这是一个容易的生财之道，可下个大注来尝试一下。如果你真因此发了财，还可以把利润分一半给穷人以减轻你的负担。

更重要的问题是：当袭击者成功地把股票价格进一步往下压时，谁在遭殃？谁又因此而赔钱？

答案是那些希望股票上涨而用保证金账户购买股票的人。他们的保证金耗尽了，经纪人可以出售所有的股票——他们也是唯一发出停止损失指令的人。他们本期望更大的利润。当然，必须意识到需要承受的损失也更大。袭击者在从事这项黑暗的事业时就已经清楚这一点了。

一个借钱买普通股的人没有权利把自己看成是一个积极的社会慈善人。他只是一个想要聪明、碰运气或两者皆有的家伙。那些期望依靠刀剑谋生的人如果死在刀剑之下，就不应该过分大惊小怪。

那么，我们如何向那些因为卖空行为而遭受损失的真正的投资者们交代呢？

　　我不相信投资者的股票会因为袭击者的行为有所损伤。[○]当袭击者结束了他们的行动后，既有卖也有买，因为他必须买回他所卖出的每一股股票。那么，投资者先买后卖岂非对自己伤害更大？

　　寡妇帕金斯，一个真正的投资者，拥有 50 股通用汽车和 15 股美国电话电报公司的股票，且持有了相当长一段时间。熊市袭击者在命运的协助下，或者说命运在熊市袭击者的促动下，在两个星期之内，使这些股票下降了 12 点，寡妇帕金斯不会奔到市区去卖了它们的。她可能甚至都没有听说过这个灾难，而现在的情况正是如此。袭击者或许能促使市场的股票价格下跌，但他们并不能取消股利。

　　接着，我们假设这个寡妇也拥有两种不活跃或是没有上市的股票，而没有人会来袭击它们，情况会怎么样呢？例如，10 股得汀宁火神公司股票、10 股阿拉巴马大南方公司普通股以及 2 股纽约第一国家银行股票。好的，当战场的硝烟消失了，这三只股票毫无疑问会被发现已经成比例下跌了，和那些熊市袭击者操纵的两只股票相比，跌幅不会太高也不会太低。

　　对于那些看到这些关于熊市袭击的评论而气愤的读者，是时候说我其实是在开玩笑。这个问题完全是学术的，因为几年以来，纽约证券交易所通过明确的规则制止了熊市袭击行为发生的可能性。你自己也已经看到这个立法美妙的成效。也就是说，如果你的显微镜比我的还先进，你就能亲眼看见。

　　○ 我不相信那些传播甚广的错误的悲观谣言，这是一种犯罪。同样，因为 S. E. C.（证券交易委员会），也不相信那些传播很广的错误的乐观谣言。

第 6 章

买入、卖出、套利和喧嚣

在华尔街一个鲜为人知的角落，交易会通过俗称为"收据"的期权进行。这个交易可能规模不大或者无关紧要，但是它在某些方面却令人很感兴趣。期权经纪人能否满足迫切的经济需要还有待讨论，但至少他们工作很卖力，担忧的事情也很多。所以，这个产业常见的职业病是头发灰白以及喉咙沙哑。任何其他职业都不会像这样吵吵嚷嚷、喋喋不休。

　　这种喧嚣、嘈杂的场面是期权交易固有的。在普通股票交易中，一方提供市场，给出一个他愿意交易的价格范围，另一方通常会相应表示他是否愿意买卖以及交易的数量和他愿意接受的价格。但像这样简单的事情在期权交易中是不可能发生的。它首先要对交易情况进行简要的介绍，在那之后还有六七项其他的问题需要继续谈判。因为股票期权的概念来源于国外，在那里它比美国更为重要，所以交易时的喧杂中混杂着浓厚的外国口音，如波兰、丹麦、德国、法国以及布郎克斯区（美国纽约市行政区名）的口音。

　　当期权交易人不想在电话里叫喊时，他正在四处寻找客户，也就是说向可能的购买者指出他们要买的期权是很值得买入的，并向可能的卖者指出期权也是很值得卖出的。我甚至在他们一次兴奋时候的（兴奋是一个期权经纪人正常的精神状态，即使他在家吃晚饭时也是这样）谈话中同时听到过这两种观点。他们暗暗相信这个悖论，因为这是他们事业的精髓。

因此买家做得很好，卖家也做得很好，就更不用强调经纪人做得也好。很多例子都能用来证明他们三者不仅从风险中脱颖而出，而且能从中获利。有人不禁会纳闷，为什么不能通过让失业者相互买卖期权而解决失业问题，却任其整天在公园的长凳上发愁呢？

什么是期权（基本情况）

那些已经清楚期权机制的人可以跳过这个部分。其他人在仔细研究完以下内容后，应该能从中释然一些对它的困惑。这个问题，像平纳克耳牌戏⊖，虽然不深奥，但也很复杂。如果你真的想要了解期权，必须花点钱购买一次。在 30 天或 90 天后，不管发生什么事，你对期权多种可能性的了解肯定要比在这儿知道的多。

期权有三种：买入期权⊜、卖出期权以及套利期权。想要用通俗的语言来描述它们，就如同不用手势就想描绘旋转楼梯一样困难。下面让我们来研究这个问题，用一个比较典型的交易来说明：购买某种"买入期权"（没有什么是真正典型的例子，它的变化是无穷无

⊖ 用两副牌从 9 至 K，并加上 A 牌，共 48 张，由 2 ～ 4 个人同玩。

⊜ 本章所讨论的"买入"期权与另一种买入期权不同，后者是把许多股票交给（而非卖给）有影响的人，希望通过他们自己的说服、推销或操纵能力（或者三者兼有）把股价抬得更高。

尽的）。

假如你得到一个很确切的消息，某只以 50 美元的价格出售的股票，将要大幅度上升，所以你下定决心要投机购买 100 股这只股票。通常的程序是凑足 3 000 美元或更多，用保证金账户买进，然后祈祷这只股票会上涨。如果它没有上涨，而是下跌了，可以想象你会损失全部或大部分投资。

但是，假设你不这么做，你要求你的经纪人以买入该股票期权的形式进入市场。结果证明你只需要花 137.50 美元就能购买一个为期 30 天、价格为 52.75 美元的买入期权。这似乎好得都不真实了（实际上也不是真的），因此你就买了。

你现在的处境如何呢？

关键之处在于不管这只股票的走势如何令人失望，即使它降到 0，你所要承担的损失也只是 137.5 美元，这和 3 000 美元相比实在悬殊。如果这只股票上升，你可以在接下去的 30 天内，随时以 52.75 美元的价格从经纪人那里要求购买 100 股。之后，把这 100 股以更高的价钱在证券交易所出售，这中间的差价就是你的，除了佣金和已付的 137.5 美元以及一些小费用之外，全部都属于你。在那之后，你所需要决定的就是你是否要去佛罗里达度假，或者替你的连襟支付其阑尾炎的手术费用。

"卖出"期权和买入期权正好相反。当你购买"卖出"期权时，在股票急剧下跌时就可以获利。而你的损失也同样仅限于期权的费用，通常也就是 137.5 美元。

"套利"期权是一种卖出期权和买入期权的结合。它的费用高一些，但是当你有了"套利"期权，你就不用在乎这只股票是涨还是跌，只要它朝某个方向运动。当然，这只股票必须是在一定的期限内价格变化比较大，否则你也无法从中获利。

我一直在讲的是大家都知道的"为期 30 天的'规定价格'期权"，也就是 137.5 美元。这儿还得推荐一下"90 天期的市价期权"。在这个期权的安排下，你可能需要支付 550 美元购买一个买入期权，3 个月内有效。这段时间内，你能随时"按市价"从经纪人手里购买 100 股股票，这里的价格为 50 美元。当股票跨过 56 美元这个价格时，你就会看到一定的利润。这种类型的期权，与"规定价格"期权相比，被认为是一种更为快乐的赚钱方式。这是个有争论的问题，我不想深入研究它。

下面，我想谈谈拥有期权所赋予你的神奇的获利机会。例如，如果你的买入期权获利很早，该股票应该被卖空，而不是立刻使用这个期权。接着，如果该股票下跌了，你会因补足空方而盈利。现在，你的期权还有几个星期才过期。所以，要反复利用这种机会，就像那些获得专利的衬衣领子一样，穿过之后只要用湿布擦一下就可以继续使用。如果股票继续上涨，你只需要用期权"买入"你的那 100 股股票，然后补足空方，所得利润也会令你满意的。

到现在为止，我所谈论的是如何利用期权进行纯粹的投机。而期权经纪人提出的正当而合法的用法还有完全不同的功能——限制投机损失。

根据他们的解释，期权可作为预防股票市场头寸损失的对策。假设你持有 100 股股票，并且购买了同等数量的卖出期权，因此你肯定减少了在这项交易中的损失。同样，如果你在股市中拥有空方头寸，也可以购买相应的买入期权保护自己。这种保护持续的时间也就是期权规定的时间，即 30 天、60 天和 90 天，有时会更长。

毫无疑问，以上程序给投机者提供了确定的保险，实际上是"定期"保险。但是，和所有其他的保险一样，它也需要花钱购买。因此，问题很简单：这个保险的价格和所获得的保护金额是否成比例？不幸的是，这个问题从数学上并不能得到解决，只能靠经验主义来判断，而后者似乎代价昂贵。

为纯粹的赌博辩护

本书的作者竟然对期权的纯粹投机用法感到着迷，这实在太可恶了。我认识的所有人对这种形式的赌博都没有什么好感。让我们把它与几乎普遍采用的投机形式——用保证金账户买空（或卖空）股票比较一下。

首先，期权是真正"大胆"的股票赌博。一个有 1 500 美元的人不可能在市场里买到超过 100 股的中等价位的股票。但是，只要他对即将发生的事情有足够的把握，他可以购买一个 1 000 股 30 天的期权。假设这只股票在一个月内，会向正确的方向移动 10 点。在这种情况中，期权买主由于他的赌注将会赚到 10 000 美元，而保证金账户买主用同样的赌注只能赚 1 000 美元（可怜的家伙尽他最大的能力买了 1 500 美元的股票，最后只获得不多于 500 美元的利润）。

这个可爱的小故事并非没有发生的可能，但碰巧我都没有经历过。

我的第二个观点很奇怪，是关于道德方面的。当一个人用很少的赌注购买了期权，如果他的冒险没有成功，那些赌注就一去不复返了。不过，那些只是他在这项冒险中打算要拿出来的全部金额，不管接下来他表现的是愚蠢还是明智都不会让他陷得更深。另一方面，保证金账户买主经常认为自己仅仅是参加了个金额有限的小赌博。随后，情况越来越糟糕：他变得有点歇斯底里（他没想过会这样），不断投入更多的钱，直到最后输掉了自己的全部财产（他也没想到会这样）。前面曾经提到过，这就属于没有在第 125 大街走下 20 世纪有限公司的列车的例子。

当我在这儿用令人反感的方式大谈特谈道德时，可以看一下那些反对期权买主赌博行为的流行观点。保证金账户买主说，"我实际上是投入了相当多的钱真正购买某只股票。我满怀希望、积极地、爱国地加入到一个公司的事业中。你们期权买主仅仅是用一些复杂的方法就股票近期价格与另一些人进行赌博而已。"

然而，进一步深入的分析会显示这两个投机家伙之间的功能差异并没有那么大。保证金账户买主从没有看见过他的股票，而期权买主也没有。他并不真正拥有这些股票，因为不是用他的名字登记的。如果他想要，他能获准参加股东会议——但是，他并不想参加，即使参加了也不会取得更多的东西。两个人都在账面上取得股利（如果有的话），但都不能装进自己的腰包。出售期权的经纪人代表了两类客户：拥有股票的人和急于买进股票的人。

陷阱

给敏感的读者留下这样的印象：购买期权是赚钱的可靠方式，这很可怕。但是，关于这个方法的代言人实在太少，我只能自己站出来说，和那些已经承认的投机方式相比，它至少一样值得推荐。

期权交易对于人们的梦想具有无穷的吸引力。我们知道很多在 1 个月内变化超过 10 点的股票和 3 个月内超过 50 点的股票。但是，当一个人停止对这些交易的梦想，而想要尝试一下时，一些不一样的事情总会发生。

购买期权的顾客很快发现他们付出的代价比起初看起来的要高很多。佣金、印花税以及大厅里令人失望的操作情况都让他们沮丧。然而，这些都只是细节问题。

在正确的时候，选择向正确方向变化的股票是件困难的事情。但让我痛心的是，最大的困难出现在所有这一切都已经成功地完成之后。

期权经纪人喜欢向人们指出期权"变成钱"后的种种"经营"优势。这的确是事实；一个人利用期权所能做的神奇之事比一个喜欢发明创造的小孩所能想出的摆弄钢件结构玩具的方式还多。但是，由于某种微妙的原因，不管一个人这时候做了什么，结果通常表明都是错的。

　　这的确是事实；一个人利用期权所能做的神奇之事比一个喜欢发明创造的小孩所能想出的摆弄钢件结构玩具的方式还多。

　　例如，假设我们 30 天 100 股的期权在一个星期后赚到了 3 点的利润。我们应该做最简单的事，就是什么也不做，干等着 10 点来赚更大的利润吗？也许可以，但是可能这只股票又会下跌，并不会再反弹，然后我们获利的机会也就永远消失了。好的，那么，我们是否应该卖空那 100 股股票呢？如果股票继续上涨，我们也许只获得了 300 美元的利润，而本来我们可能有 1 000 美元的利润，这也是起初我们心里所想的。我们真是愚蠢啊！或者我们只卖空 50 股呢？这个想法很吸引人；不管股票朝哪个方向变化，都会帮助我们获得更多的利润。但是，它只会让我们获得可能利润的一半，由此，我们也不太愿意那么做。

因此，当我们偶尔在正确的时间选择了正确的股票时，经常会发生的结果是，我们通常只能获得很少的利润，有的时候还没有，外加为胃溃疡打下良好的基础。

总之，我给你们这样一个建议：下次当你得到一个可靠而及时的小道消息时，可以进入期权市场。我不是说你一定要购买一个买入期权。但是，你至少应该深思熟虑一会儿，想想这样的事实：毕竟还有一群绅士似乎想要打赌，这只股票在未来 30 天或 90 天内价格不会上涨得那么高。

| 第 7 章 |

"美好的"旧时光和"伟大的"船长们

想要找出那些美好的旧时光好在哪里（如果有的话），就必须确定美好旧时光出现在什么时候。在一些简单但不是那么直率的华尔街人的心里，那些美好的旧时光是指证券交易委员会出现前的任何日子，那时没有取消十条戒律，所以能激发人们的渴望。哦，那段日子最重要的规则就是"佣金不打折""不攻击专家"以及"交易时间不准在大厅吸鸦片"。

　　承认那些美好的旧时光仅仅是经济繁荣的日子，如20世纪20年代末、20年代的前几年以及19世纪末，这就更为准确也更为诚实了。想一想，1936～1937年也算是一段小繁荣，不是吗？那个时候证券交易委员会什么也不管，简直是和我们一起赌博，轻轻晃动我们的胳膊肘，站在我们身后，在我们下注时给点建议。他们经常倒空烟灰缸，但却从不供应啤酒和三明治。当然，他们不是繁荣的起因，也没有助长繁荣，我也不相信他们和繁荣的结束有多大关系。繁荣取决于自身。

　　在我们认真思索的时候，我们都意识到繁荣是件坏事而不是好事。但是，几乎我们所有人都暗自追求着另外一次繁荣。"再来一次小的狂欢不会对我们造成什么损害。"这是一种普遍的想法。这种想法很人性化，因为上次繁荣时，我们的表现是如此愚蠢。我们不是进入市场太晚，就是出去太晚，或者两种情况都有。但是，现在我们已经有经验了，就让我们再一次经历那美好而可靠的繁荣吧！

大人物的智商

关于那些伟大的投机者在美好旧时光的壮举已经逐渐形成了相当规模的英勇故事。我不想谈及他们的道德，例如他们过去是怎么样的，因为那个问题已经被其他人的圆满和热情掩盖了。我对他们的智力更感兴趣，而流行的说法是他们通常智商很高。

我们讨论的人是那些在股票中获利或者亏损的家伙，他们交易股票、操纵股票、关心股票，并通常利用股票制造混乱。这不包括洛克菲勒和卡内基，他们主要从事石油或钢铁这样的现实事业——他们对华尔街的兴趣是次要的。但是，真正的投机者产生于华尔街和百老汇交界处的附近，并且从不远离那里。他知道在一些未开化、没有人去的地方，如泽西城，有真正经营的公司，但是他认为这并不重要。令他着迷的是，根据公司存在的这个模糊概念，可以发行某种票据，而利用这些票据又可以玩一些惊心动魄的游戏。他不能简单地通过工人、管理、产品、程序、市场以及专利来理解公司，而是更为简单地把诺福尔克西方铁路公司视为 NFK，把美国钢铁公司看作 X。他心里清楚的是，如果他想玩游戏，总能在 X 而非 NFK 找到更为广阔而接近的市场。

不能理解最终的现实是投机者(不管大、小)最突出的智力缺陷。他是个不可救药的浪漫主义者,通常也很自负。他思维敏捷、积极、资源丰富,而且以一种奇特的方式表现得颇为精明。也就是说,他每件事都很精明,除了他经常、日复一日地使自己处于破产的可能中。他似乎和鹅妈妈一样相信树顶是放置摇篮的正确位置。

投机者缺乏现实性最大的悲剧是不能理解金钱的真正含义。他不知道钱是什么,即使他的速记员知道。他认为它只是经纪人财务报告书右边的一项。他不知道钱有什么用,而你我都知道,还能轻松地告诉他。他认为钱的用处就是让某种活跃的普通股"向上划出一条大线"。

如果一个人赚了 3 000 万美元,后来不仅全部赔掉,而且还亏了更多,你能说这样的人头脑就很聪明吗?假设一个人有 3 000 万美元,在想要取悦自己的过程中损失了 2 950 万美元,在这样的情况里,并没有造成真正的伤害,所以不需要表达同情。但是,这种情况很少发生。当他们真正开始行动时,他们会投入自己拥有的一切东西,甚至是一些自己没有的东西。

这些人的运气通常很好,经常会有第二次、第三次甚至是第四次机会。他们通过甜言蜜语再骗来一大笔贷款,然后重新开始。这并没有你我看起来的那么困难。华尔街的观点是一个人有赚 3 000 万美元、赔 3 500 万美元的商业记录,这是一个了不起的孩子,也是一个珍贵的商业伙伴(有趣的是,这通常是真的。虽然在一段时间内他的净回报是损失 500 万美元,但他毫无疑问能使人精神振奋并让一个公司"活跃起来"）。

我知道这看起来似乎不公平。没有人愿意向你我提供这么大的信用，我们的商业记录比他强得多。你和我从没有损失过500万美元——是的，先生，我们不会做这样的事。我们商业成就的成绩比他高出500万美元，另外，我们多年中还能每周都收到报酬。但是，他和我们相比还有另一个强大的优势：他欠债务人一大笔钱。他的债务人感到（可能是错误的）他们想要拿回"纪念品"的最佳办法就是继续给他提供银行资金，这样才能重新开始运作。我们的债务人却不同。他们是牙医、裁缝以及金融公司。对此，他们根本没有相同的概念。

我想把这关于智力问题的调查进行得深入一点，下面是我的第二个问题：一个人只带了很少的钱来到华尔街，通过投机赚了3 000万美元，并且至今还没有一点损失，你认为这个人的智力如何？我自己考虑后的观点是他也是个傻瓜。为了挣到第二个不足为奇的百万，他不得不把他第一个宝贵的百万拿出来冒险。显然，他这么做了，而且一而再再而三地这么做。他每次都碰巧成功，但这并不能真正改变局面。他每次冒险的时候都在想些什么呢？对这个问题的思考不禁使我这个小资产阶级的人毛骨悚然。

现在可以允许读者来问个中肯的问题了。他公正而略带粗鲁地说，"你坐在那张桌子旁，鼻子上还有块墨水的污斑，你有什么资格来批评一个赚了3 000万美元的人的智力呢？"我想我和球赛中的球迷一样有资格，他们在北方队的游击手接住一个飞快的滚地球却把它投向错误的垒位时，会大喊"你这个笨蛋！"球迷有权表达自己的合理观点，即使必须承认：如果是球迷自己处于游击手的位置，可能根本连这个球都接不到。

关于投机的思索

到这儿为止，我们一直在研究大型的投机活动本身是否是一个合理的职业。现在，我想要分析另外一个不一样的问题。当他们在从事投机活动时，这些投机分子的行为有多少是明智、有远见并且富有经验的，而又有多少仅仅是靠猜测？当然，他们从不承认自己是在猜测，否则只能离开他们如此热衷的事业。如果他们是靠推测或预感行动，正如我怀疑的那样，他们就是世界上最好的解释专家——能为自己的预感找到深奥的理由。

例如，"纸带分析家"。我已经断断续续地观察这项奇特职业的热爱者许多年了。他们宣称，纸带从报价器中缓缓出来可以告诉入门者许多别人无法理解的复杂故事。也许是这样。旧时代的投机者都很流行把纸带分析作为自己的一种成就，正如我们推测阿图罗·托斯卡尼尼会弹钢琴一样，尽管我们从来没有亲眼看到过。

对于我来说，似乎分析纸带很简单，因为没有什么可分析的。纸带按照发生的顺序记录大厅里的交易，并显示出交易发生时的成交量和价格。它并不显示谁是买主和卖主，或者他们进行买卖时在想什么，或者他们接下去想做什么（如果有打算的话）。它们也不能显示出任何关于即将在欧洲、华盛顿或者沙尘暴地区要发生的事情。纸带分析家会回答说，关于纸带，我不知道的内容可以写成一本书。他们觉得，盯着这些变化的价格这么多年，他们已经培养出了一种"交易直觉"。①我曾经听人夸口说，当市场下跌时，他都不用睁开眼睛，只要听报价器就能知道。这种本领，你的小外甥也能有，因为报价器在价格下跌时会发出特殊的咔嗒声。但是，我不明白的是，他们闭着眼睛如何能预测下跌的严重程度以及将要持续的时间。

有一个众所周知的故事，过去，有个精明的投机家和纸带分析家得到一个可靠的情报购买某种铁路股票。令旁观者大吃一惊的是，他先卖空了 10 000 股股票。然而，结果发现他用这个昂贵的代价只是想"测试市场"，看看情报到底可不可靠。他注视纸带，观察市场"以有序的方式接受了他的供品"，因此确定了消息的可靠性。于是，他转过身，重新买入他卖出的 10 000 股，然后又买了额外的 50 000 股，并且立刻开始获利。

对于我来说，这个故事就像噩梦，并且我注意到这种交易的方式最近已经不用了。毫无疑问，这种操作至少发生过一次，然而那些狂妄自大的人可能会做什么就没有限制了。如果投机者再表演这种噱头，我不会羡慕他（但是，我应该很愿意做他的经纪人）。

我不知道有什么可靠的方式可以看出投机者的行为有多少仅仅是靠猜测（伪装的），又有多少是理智的（记住：我们是在讨论投机者，而不是骗子。骗子所从事的行当是现实的；只要他真的被人骗

---

① 你可以看看任何心理学家关于"直觉"流行的错误看法。

过，他就根本不是一个投机者。我们讨论的投机者，他们的行为会受纸带分析、图表分析、数据分析、内部情报、交易直觉以及所有类似工具的影响）。

我们假设这样的观点：他的所有活动，或者几乎所有的活动实际上都是猜测。但是，人们会反驳说这也不可能，因为总是有少数人，不是骗子而是投机者，不断地挣到大钱。他们人数不多，但是确实有，而且一直都有。他们获胜了。难道这不就证明了成功的投机并不仅仅靠运气吗？我觉得答案是否定的，并且这也正是我产生疑问的原因。

对可能性的简要分析

如果许多人相互之间都要参加这种纯粹碰运气的游戏，就可以用数学方法表明将要发生什么和一定会发生什么。这种展示很有趣，但是读者必须自己判断它是否和华尔街投机类似。具体方法如下：

假设有 400 000 人（既有男人，又有女人）同时参加这项竞赛（这个人数和美国想要成为投机者的人数接近）。我们让他们排好队，两两相对地坐在几英里[⊖]长的长条餐桌旁。每个选手都要当着他对面人的面玩一系列的游戏，所选择的游戏项目都是靠运气的，如抛硬币。两边各有 200 000 人。

如果读者很喜欢数学，他就应该暂停阅读，自己算出接下来将

⊖ 1 英里 =1.609 千米。

要发生什么。不然的话：

裁判给出信号，第一轮比赛开始，400 000 个硬币抛向空中，在阳光下闪烁。记分员列出表格后发现 200 000 人赢了，另外 200 000 人则输了。接着，第二轮比赛又开始了。在原来获胜的 200 000 人里，有一半的人又一次赢了。现在，大约 100 000 人已经赢过两次，而同等数量的人也已经不幸地输了两次。剩下的人则更加不幸。从现在起，最简单的事就是盯着胜利者（当然，没有人会对失败者感兴趣）。

第三轮比赛开始，在那些赢过两次比赛的 100 000 人中，又有一半的人获胜了。这 50 000 人在第四轮比赛中只剩下了一半，到第五轮则只有 12 500 人了。这 12 500 人连续赢了 5 次，无疑会开始把自己看成抛硬币能手。他们认为自己有"直觉"。然而，在第六轮比赛中，6 250 人失望了，他们惊讶地发现最后竟然输了，也许他们中的一些人还会因此开始进行国会调查。但是，另外的 6 250 人继续比赛，并逐渐使人数减少直到最后剩下不足 1 000 人。这一小群人已经连续赢了大约 9 场比赛，到此时为止，他们中大多数人的能力至少在当地已经有了一定的声誉。远处的人跑来向他们咨询如何预测正反面，而他们则谦虚地解释自己是如何取得成功的。最终大约有 12 个人连续赢得约 15 场比赛。这些人就被称为专家，历史上最伟大的抛硬币能手，从来不会输的人，并且已经有人开始为他们写自传了。

当然，认为股票投机与抛硬币相似是很愚蠢的。我知道股票投机所需要的技巧更多。但我一直以来无法判断的是：究竟有多少技巧？

在劫难逃

当一个投机者春风得意时，他的确表现出一副战无不胜的样子。不仅所有的旁观者印象深刻，他自己也赞叹不已。来自合伙人、竞争对手甚至是夜总会领班的尊敬是真诚而令人感动的。但是，当他突然走下坡路时，前不久还很明显的才智都去哪里了？谁跑进他的头脑里，阻碍了他精明的思维？

有时他在降到谷底时能从中崛起，有时不行。如果不行的话，总有一天他的最后一件苏尔卡衬衣也会被磨损。然后他会发现，以前一天能轻松赚到几千美元，现在一年里都难挣那么多。这种周期通常很短暂。他曾经不太体面地向周围的穷人们告别，然后或许过了没几年，他又很尴尬且不体面地想重新回到他们之中，并且发现他们对他以前的功绩并没有多大兴趣。

萨克雷在《名利场》（*Vanity Fair*）中形象地描绘了一个落魄的投机者，这证明人类在一个世纪中丝毫都没有改变。老萨克雷也不是个现实主义者。他强烈地感到，拿破仑，这个从爱尔巴逃出来的恶棍把所有法国人聚集到自己的旗下，主要是为了使他——萨克雷先生——无法在交割日履行自己的义务。

大部分伟大的投机者不是在贫穷中结束他们的日子，就是一次或多次接近这种状况。但海蒂·格林就是个有趣的例外，她从来没有失败过，发迹后很快变得富裕起来，后来就越来越有钱。但是，格林夫人是个相当现实的人，她既是个女人，又是个吝啬鬼。很少有伟大的投机者具备其中的一条。

"他们"

要说英语中最随意使用的代词，我推荐"他们"，正如华尔街的常见用法一样，"他们正在囤积黄铜""他们正在获利""他们想把克莱斯勒公司股票的价格升到票面金额以上"以及"他们不会让市场在共和党人赢得大选前失去控制"。

"他们"是谁？他们要么是伟大的投机者和操纵者，要么是地狱的恶魔，或者两者都是。大约一个世纪以前，"他们"似乎是有形的存在物，是丹尼尔·德鲁，是科尼利厄斯·范德比尔特，是杰伊·古尔德，是吉姆·菲斯克以及其他一些怪人。虽然那时市场小，但"他们"却很大；他们用黄金价格或埃瑞铁路公司（在当时并不是值得妒忌的财产）的股票进行神奇的游戏，并使他们的追随者致富又破产，还相互竞争。

但是，20世纪20年代末的市场非常巨大，"他们"虽然经常被人提起，但能力已经非常有限了。是迈克·米汉先生抬高了广播股票的价格，还是广播股票抬高了迈克·米汉先生的身价？同样的问题也适用于卡坦先生、米歇尔先生、利沃莫先生、杜兰特先生和费歇尔六兄弟以及其他无数令人敬畏的名字。当然，在他们各自的宠物开始下跌时，他们中大多数人都试图阻止这种趋势。他们的举动看起来就像小心翼翼倚在铁轨上，拉响汽笛想阻止一辆快速行驶的火车一样。

在过去的 10 年里，根本没有出现过什么伟大的投机者[⊖]或操纵者。但是，代词"他们"的使用并没有减少。现在，这一定是在说地狱的魔鬼了。

操纵者

我已经写了这么多内容来讨论股票操纵，不愿意再增加什么了。这个职业是建立在一个相当稳固的假设上：公众主要对购买"上涨"的股票感兴趣。因此，操纵者选择一个他们认为被低估了价格而且容易制造好消息的股票，然后努力让它往上涨。他们还到处传播这个好消息，并努力说服自己相信它的真实性，没准到最后也会证明这个消息是真的。

如果操纵者通过虚假交易的方式让股票价格上涨（不是真正的交易，所以除了佣金之外，不需要什么别的费用），我认为这是一种欺诈行为，让他们在监狱里待上一段时间也不为过，即使他们本身都是些有趣的家伙。当然，如果他们在虚假交易的同时还散播假消息，这同样是违法的，量刑也会双倍。但是，如果他们通过真正购买股票使其价格上涨，我想要祝他们好运，因为如果没有其他原因，他们当然就会需要好运。

⊖ "卖掉它们"的史密斯先生可能是个例外。由于一直明确反对任何最好的金融观点，他的投机明显获得了成功。在那漫长的三年时间里，官员们正式通知百姓整个国家的情况基本是好的，史密斯先生却非常不屑一顾，"卖掉它们！它们根本就分文不值。"他永远不会成为"他们"中的一分子。

在完成了第一部分的操作后，他们发现自己拥有了大量的股票，这些股票是在价格上升时买进的。这个时候，容易受骗的公众应该蜂拥而至，从操纵者手里以更高的价格买进。但是，通常公众表现得就像喂食过多的红鲑鱼一样，对周围视而不见。当这种情况发生时，那些起初把自己看得非常厉害的操纵者，某天早晨醒来会发现自己已经变成了被迫的投资者。

正如其他我引用过的令人讨厌的行为一样，操纵也不是赚钱的轻松之道。我还记得许多年前的一封信。十几个人合伙集资建立了一个很大的基金，并交给一个"可怜的经理"，希望他能抬高某种股票的价格，但他根本没有成功。他购买了许多股票，但是股价一直下跌。于是，他给出资的每个人都写了一封信，详细地解释了他的运气是如何之差，并要他们每个人再投资5万美元。他保证，有了这些钱，他就能火中取栗，用可观的利润弥补之前的损失。其中有一封回信是这样写的：

亲爱的×××先生：

随信附上你15号来信索要的5万美元支票一张。其实，你没有必要满怀歉意。我相信你在这件事中已经尽了最大的努力，并且我的阅历足够让我理解你肯定遇到了某些不可预见的逆境。我相信我们的事业会如你所描绘的那样走向繁荣，因此我仍然是你忠实的×××。

附：如果我够傻还给你寄5万美元的支票，我肯定会这么写（已删除！）。

一盆硬币

毫无疑问，20 世纪 20 年代美好的旧时光已经一去不复返了。如果这样的结尾太悲伤，那就问你自己两个问题：

（1）当你看到那些过去就很有钱的人再一次拥有这些钱时，是不是很无所谓？

（2）罗马在其最辉煌的时候又有多壮观？

20 年代末穷人很少，至少在白领和硬领中是这样，这也是最好的情况了。当时也很少有体面、品位和尊严。我们过去几乎就已经实现了每个锅里一只鸡的目标，并朝着更崇高的文明迈进。每个人在每个周日的早上都会因为前一天晚上在乡村俱乐部的舞会上饮酒过多而头疼，在吃了一片布鲁莫 - 塞尔查止痛片后，继续到户外打高尔夫（起源于苏格兰的运动），50 美元一个洞，旁边还有人伺候着。

1929 年，一辆豪华的俱乐部客车每个工作日的早上都会开进宾夕法尼亚火车站。当列车进站后，那些刚才一直在打桥牌、看报纸、相互比富的百万富翁，从列车的前端鱼贯而出。靠近门的地方放着一个银制的盆，里面有许多硬币，那些需要乘地铁进城的人都会拿一个。他们不需要为此支付什么；这不是钱，只是一种像羽毛牙签一样的免费便利服务，仅 5 分钱而已。

对 1929 年 10 月的突然毁灭有很多解释，而我更喜欢的说法是，愤怒的上帝耶和华恰好在 10 月份看到了这个盆。在一种突然但可以理解的烦恼中，他踢翻了美国的金融机构以确保这个装满免费硬币的盆永远消失。

第 8 章

投资：问题很多但答案很少

投资和投机据说是两种不一样的事情，谨慎的人应该只从事一种而要避免另一种。这就有点像向困惑的青少年解释，爱情和感情是两回事。他能感觉到两者不一样，但这一点不同似乎还不足以解决他的问题。

　　投资和投机经常被下定义，再多两个有漏洞的定义也没有什么损害，因为经济这门科学已经到达这样一种境界：不可能有更多的迷惑了。因此：

　　投机是一种想要把小钱变成大钱的努力，但可能不会成功。

　　投资是一种想要避免大钱变成小钱的努力，应该要成功。

　　如果你带着 1 000 美元来到华尔街，试图在一年的时间里把它变成 25 000 美元，你就是在投机。但如果你带着 25 000 美元到那里，想要在一年内用它赚 1 000 美元（通过购买 25 个 4% 的债券），你就是在投资。第一项冒险中你成功的胜算是 25 : 1，而第二项冒险中不成功的概率很小，大约是 1 : 25。⊖

⊖　当然，这些"可能性"仅仅是模糊的估算。但是，这儿有个很吸引人但不公平的赌博，如果你想要打赌并可以找到所需笨蛋的话，向一个投资人挑战，让他写下他知道的最保险的 25 种公司债券的名单（每个债券属于不一样的公司），然后打赌在接下来的 5 年之内这些债券不会支付利息。

因此，这种差别变成了一种程度上而非本质上的差别。当然，一个债券推销商从来不会说："来吧，先生，买这些债券吧！他们会给你们带来 4% 的收益，而且破产的可能性只有 1/25。"这个推销商甚至努力避免用这样可怕的字眼来想象他的债券。他更愿意把自己的想法建立在一个更为正规而传统的模式上。因此，普通股票是投机性的，优先股没有那么投机，公司债券比较安全，而抵押债券是绝对安全的。不幸的是，关于这种观点的例外非常多，并且一直都有。每年，人们都会发现某些公司的普通股票比另外一些公司的抵押债券安全得多。

富人的麻烦

有钱的人感到他们应该能够以合适的租金把自己的钱租给那些需要的人，并且不应该有任何损失的危险。马克思主义者认为这种行为非常可恶。无论如何，这种行为现在变得极度困难。

关于安全投资的问题在现在这个时刻似乎特别严重。这些问题过去也不是很简单，尽管有时它们表面上看起来是这样。巨大的家族财富很少能持续很久——有时是继承人花光了所有的钱；更多的时候，是他们在投资的过程中损失了这些钱。例如，一个世纪以前，出售运河债券给那些保守型的投资者肯定是非常容易的。这些债券既有说服力，又很合理。运河可以说是当时最好也最便宜的运输途径。贸易没有它不可能得到发展，并且要想建立一条与之相竞争的运河非常困难，而且成本也很高，等等。我们都知道后来运河债券发生了什么，这和现在发生在铁路债券上的情况类似。朋友，当有人发明出一种能使汽车飞跃河流的工具时，你所拥有的优秀的收费桥梁债券又将如何呢？

信托公司和投资顾问提醒我们，我们的投资，即使是最保守的投资，都不会自我照顾，而是需要经常看管。他们从没有说过比这更真实的话，但是，我个人认为，至少，使用"看管"这个词就是一种不幸。我不禁想到客户的委托人通常保证替你"看管"某种你刚刚投机的股票。这种保证，他兢兢业业地坚守着。他关注着纸带中这只股票的每一次报价，如果股价下跌了，他甚至都不会出去吃午饭，匆匆吞下一个三明治后，就继续盯着纸带。如果股票跌得太厉害，他会更努力地关注它，以至于眼睛都开始往外突。但是，股票并不会因为他的注视而有所自觉——它一路下滑。很显然，看着烧水的水壶比看着证券更有效。

目前还不知道由投资顾问来看管效果会好多少。在投资咨询这个游戏中，没有票房记录，也没有平均得分。我个人的研究方式是向许多投资顾问了解他们的客户成绩如何。他们都会回答说他们的客户做得相当好，还要感谢你关心这些，等等。这是在这个行业进行研究存在的实际限制。你不能要求他们公开账簿供你研究，因为他们会相当直接地告诉你，他们客户的事与你无关。

在继续讨论这个问题之前，我最好指出是与哪些人在交谈。大家必须明白，当我说到投资顾问时，我只是指那些真正的投资顾问，正如格特鲁德·斯坦恩所指出的那样，现存的这样的公司不超过 100 家。不幸的是，目前还存在着几千个强盗，他们都自称为投资顾问。当然，这不是真正投资顾问的错；这无疑是对他们一种微妙的恭维。一些这样的绅士（强盗们）会用古老而传统的方式分配自己和客户之间的基金，即在一天的工作结束之后，他们把所有的钱抛向空中，贴在天花板上的那些就属于客户。

如果股票跌得太厉害，他会更努力地关注它，以至于眼睛都开始往外突。

真正的投资顾问所坚持的主要原则似乎是合理而重要的。它是庸俗的，也就是说，它和顾问们所得的报酬有关。他们靠提供建议得到固定收入；而不像大多数经纪人和交易商那样，靠佣金或从交易的利润中收取费用。他们也不会试图向客户出售一些自己拥有而又不巧没人想买的证券。因此，有钱人至少会相信他从投资顾问那里得到的建议是真诚的，没有受到患得患失的利害关系的左右。这就把有钱人的问题减少到了下面两个：

（1）有没有这样始终有用的金融建议？

（2）如果有的话，哪个投资顾问能提供它？

尽管顾问们的收费方法是很理想的，但有时他们也会在收取合理费用时遇到奇怪的麻烦。有时，许多富人会联合起来，派其中一个人去咨询，并支付相应的费用，然后他们大家都可以使用这个建议。如果你不相信百万富翁也会钻这样的小空子，你就应该出去见见更多的百万富翁。有时虽然建议可能不错，但似乎听起来不怎么样。曾经有个大房地产商到投资顾问那里去咨询，回来后看起来有些茫然。

"他们让你做什么？"他的朋友问。

"他们告诉我卖掉所有的东西，然后把所有的钱都投去购买政府债券，只留 3 500 美元。"

"他们让你用这 3 500 美元做什么呢？"

"他们让我把它交给他们。"

一条美妙的小建议

我准备免费向所有的有钱人提供一个终生的投资计划，该计划不仅能保住房地产，还能使它们大大增值。像任何伟大的思想一样，这个计划也很简单：

当每个人在股票市场繁荣期间争相购买普通股票时，你拿出所有的普通股票并卖掉它们，把所得收益用于购买保守的债券。当然你卖出的股票还会继续上涨。不用管它——只管等待迟早会到来的萧条。当萧条（或恐慌）成为一种全国性的灾难时，你把债券全部卖掉（可能会有损失），并把股票再买回来。当然，股票肯定还会下跌。同样不用理睬。等待下一次繁荣。在你有生之年不断重复这种行为，那么你在临死之前就能体会到有钱的乐趣。

回顾一下金融历史，你会发现没有哪一代人没从这条建议中受益。但是，令我悲哀的是，我从未认识过这样做的人。它看起来似乎像滚动圆木一样容易，但事实并非如此。当然，主要的困难是心理方面的，它要求当债券不是很受欢迎的时候购买债券，而在股票普遍失宠的时候购买股票。

我怀疑确实有一些人采用这样的方法，即使我从未有幸见过他们。我这样怀疑是因为必须有人购买那些傻瓜们以可怕的价格卖掉的股票——这是一个通常被公众和金融记者们忽视的事实。在一次可怕的恐慌的第二天，一个经验丰富的记者在报纸上发表了诗一样的评论，他是这么写的：

> 随着开市钟声的响起，出现了强劲的卖方力量，它们的交易量和交易强度在整个上午都稳步上升。中午时分，由于空方平

仓，出现了一次短暂且不具刺激性的反弹。但是，一股新的卖方浪潮使整个市场完全陷入混乱；最后一个小时，没有固定利息的股票开始巨额抛售，根本不顾价格或价值了。

公众读了报纸，也就读到了上面的这段话，于是留下了这样的印象：在那灾难性的一天，每个人都往外卖，没有人往回买，除了那一小群空方（这些人很可能是不存在的）。当然，这根本就是错误的。如果在那天，这可怕的"抛售"已经达到了 7 365 000 股，那么买进的数量也是可以被算出来的：大约 7 365 000 股。

价格与价值：我们特殊的市场公开信

现在，我们应该谈谈价格和价值这个问题了，因为任何不会解释这个棘手问题的金融作家都会被取消其工会会员资格。我不想泛泛而谈，而是会深入进去，为你们分析价格、价值，以及世界上最有名的股票，这就是美国钢铁公司普通股票，被它的密友亲切地称为"钢铁""大钢铁"或"大 X"。

首先，关于价格，我碰巧对此非常了解：我能毫无畏惧地说出，钢铁昨天的报价是 $57\frac{5}{8}$ ～ 58 美元，最后的交易价格是 $57\frac{3}{4}$ 美元。这个价格之所以出现，是因为昨天下午大约 3 点钟，有个人，可能是某个专家，也可能是布鲁克林的某个妇女，愿意支付 $57\frac{5}{8}$ 美元的价格购买至少 100 股，而另外有个人，或许是个布鲁塞尔长着粉瘤的胖子，愿意以 58 美元的价格出售。天知道这些人的动机是什么。由此，你能看到美国钢铁的价格是以一种极为碰巧的方式决定的。只有一点是对价格有利的——这是一个当时在全世界都很好又非常确定的数字。

现在，让我们来看一下那永恒的真理：价值。我们将检查一下公司的盈利，这对过去 10 年里的普通股票也适用。真没想到！损失竟然比利润还多！甚至一度优先股也无法维持获利。现在，它们又发行了大量的债券。那么战争的影响会是什么？它会告诉你 57 $\frac{3}{4}$ 美元的价格是多么愚蠢——比价值足足高出了 17$\frac{3}{4}$ 美元，人们应该仔细想一下，除了南部邦联的货币，有谁会支付这么多。

但是，另外一方面，我们也不应匆忙地下结论，还有其他的因素，要从更广泛的视角考虑。钢铁产业是基础产业中最基础的，而美国钢铁公司 40 年来一直是该行业真正的巨头——不可再造，也无法超越。它在上次经济萧条时期每年的总损失还比不上它在 1930 年以前任何一个获利年度的利润。而且再次获得这样巨大的利润也不需要增加太多的投入。那么，战争会给它带来什么影响呢？看看它发行的巨额债券。整个融资工作完成得多么轻松，条件是多么优惠啊！如果考虑到这些和其他的乐观因素，就很难理解为什么这种金融界最适宜的股票没有达到 157$\frac{3}{4}$ 美元的价格。如果我们喊出 257$\frac{3}{4}$ 美元的价格，谁又能说我们不现实？它的价格曾经比这还高出一点，但在当时许多经验丰富的人看来还是便宜了。

我这样分析过美国钢铁公司普通股票的价值后，你们所有人就很没必要再重复这个内容了。实际上这并不困难。钢铁行业是容易理解的，它所有的事实和数据都刊登在《钢铁时代》上。而其他许多行业，如此精确的数字是不可能有的。例如，分析一个化学公司就困难得多。在考虑了一切事情之后，投资者还是无法得知那些带着绿色眼罩在实验室工作的科学家们何时会发现从废弃的塑料包装纸中提取维生素 V[⊖]的方法。

　　我将用下面这个发生在 1928 年前后的小事件来结束我对价格和价值的讨论。当时，有个身材魁梧、红脖子的得州人和许多人一起加入银行股票的行业中。他给这个职业带来了浓厚的得州口音和僵化的思想。这次，他刚以 760 美元的价格卖给顾客 20 股诚信信托公司的股票，而这只股票当时在其他所有地方的价格都只是 730 美元。这个顾客，一个大笨蛋，刚刚发现这一点，于是打电话来向他抗议。这个得州人打断他的话说："你根本没有彻底理解这个公司的政策。这家公司为客户选择投资时，依据的是价值而不是价格！"

现金作为一种长期投资

　　对于那些还没有从这本书里找到一个吸引他们的投资计划的有钱人，这儿还有一个计划，至少有一定的独创性。它是某天下午一个债券交易商告诉我的，当时我们一直在讨论投资债券的漫长历史——一个令人郁闷的话题。这个人在过去的 30 年里一直在用别人的钱进行债券交易，而花自己的钱，他一直都很谨慎。

　　最后我说："真是一个令人失望的游戏！告诉我，迈克，今天

[⊖] 食物中必须包含这样的维生素才能长出健康的山羊胡子。

如果你拥有自己的 25 万美元，你会做什么？"

他回答得如此迅速，以至于我认为他已经对这个不可能发生的事情考虑过很多次了。

"我会把它换成现金放进 25 个信封里，每个里面放 1 万美元。然后把这些信封放到银行的保险箱里。我听说你只要每年支付 6 美元，就可以得到一个小的保险箱，正如我所需要的。每年年初，我会拿出一个信封，而且我会假设自己不会多活 25 年以上。那就让我每周有 200 美元。但是，一个人总得有点事情做，而且我喜欢赌博，我会靠 100 美元活一个星期，用另外的 100 美元来赌马，这会给我的生活带来真正的乐趣。大多数星期我会只依靠 100 美元生活，但是偶尔也会有 1 000 美元。此外，我还能获得一个额外的乐趣：嘲笑那些税收人员。"

"但是赌马失败的可能性也许和股市中一样大。"我提醒他说。

"更大，"他愉快地说，"但是赌马至少很有意思。"

你的生活方式和基本账簿

"基本账簿"通常以黑色和宗教色彩的软面装订，是一种图表的集合，债券商们能用它来迅速地算出各种债券投资所产生的准确收益。一个好的投资顾问应该能够把他的手指沿着表格往上升以获得"相当于特定投资者所要求的安全程度"，并且他那有经验的手指应该正好停在那里，就像魔杖一样。

对于投资者来说，他的手指向图表右侧能滑多远是至关重要的。这并不只是数学问题——它进入了哲学的范畴。投资者的生活、自由和对幸福的追求都与此息息相关。

我想说，"照顾好小钱，大钱就会自己照顾自己了"这句话的正确性超过 50%——大约 5/8 正确。它至少和这句话同样准确，"照顾好你的 100 万美元，小钱也就会自我照顾了。"

作为一个民族，英国比我们更早遭遇资本投资的问题，相应地，它在这方面也更为成熟。你有没有注意到，当你询问一个人的财富时，英国人给的答案和美国人给的很不一样？美国人会说："如果他的财富有 100 万美元，我也不会感到奇怪。"而英国人则说："我很奇怪他每年都能挣 5 000 英镑。"当然，英国人谈论和思考财富的习惯方式更接近事情的本质。一个人真正的财富是他的收入，而不是他银行的余额。是有这样的时候和这样的地方：拥有 10 万美元比 20 万美元更好（还有其他的时候，拥有一船土豆，或一些斧子和玻璃珠会比拥有这两笔钱更好）。

投资问题的重点通常被认为是正确地选择证券。我认为重点放在投资者打算如何使用自己的收益上会更好。最初的错误出现在后面部分，选择错误的证券绝大部分是由最初哲学观点错误造成的。我那位赌马的绅士提出的奇特的投资计划并不高尚，但确实含有谦虚的美德，因此是可行的，只要"投资者"会对自己信守诺言。

假设一个家庭，除了基本的收入外，还有 10 万美元可用于投资。他们似乎应该每年可以从中获得平均高于 3 000 美元的收益，安全性也很合理（不，我并不是很清楚"合理的安全性"是什么意思，但是我们所有的投资人都使用这个说法）。

假设这个家庭按照这个比例进行投资，我想，他们现在的主要问题不是关注投资，而是关注自己。只要他们的物质需要和社会尊严与这个收入相协调，他们就能获得合理的安全性。但是，也许有一天这个家庭会觉得无法忍受下去，除非小波拉能去一个时髦的学校读书。为了实现这个目标，他们必须把收益提高到 5 500 美元。或许这个家庭对于小波拉教育的想法既不现实也不合理，但是，这个问题更应该和他们的牧师，或者心理医生谈论，而不是和一个投资经纪人谈论。

然而，如果他们要求，他们的投资人能够立刻计划更大的收益。我们假设他已经安排好了。他所做的，仅仅是卖掉保守的债券，用风险更高的证券来代替。小波拉穿着可爱的衣服去上学了，可以想到她在那里获得了很多神奇的社会恩赐。她可能还会迫切地需要它们，因为到她毕业时，她的婚姻中肯定还会专门包含社会恩赐。

第 9 章

改革：赞成和反对的意见

第8章明确指出，最大的投资错误是力图以伴随的一般风险取得过高的收益。大部分人都会同意这种说法。但是，这只是事实的一半——或者可能仅仅是1/4。我们研究的对象似乎不承认任何百分之百的真理。

关于这种说法有一个相反的情形，这在过去五年里表现得尤为明显。受委托的人（包括受托人、遗嘱执行人和律师）有一种维护客户基金安全的倾向，以至于根本就不提供任何有用的服务。他们会把那个家庭的10万美元，以一种收益几乎为零的比率进行投资，这和前面提到的完全不一样。当那个家庭前来询问时，他们会让其一起奔跑、玩游戏（如果它能找到某种不太昂贵的游戏）。他们显然认为，他们把钱放到了安全的地方并避免从中偷走任何东西，这样就可以从中收取费用。

近年来，一股强烈而必要的改革浪潮席卷了华尔街，刚刚提到的趋势可被作为它的较小的也是比较不幸的结果。那些几乎没有给客户带来任何收益的顾问并没有为客户做过什么，他仅仅是避免让自己承担责任。他宣称他必须回避责任，因为即使他做对了，他也不会得到更多的收入；而且如果这些天他都做错了，他可能很轻易就要失去自己的名声。他说他甚至可能会被那些身材魁梧、沉默寡言、穿着黄铜扣蓝套装的人传唤出去。我相信他在夸大其词，但是也有一定的道理。

是被偷了还是丢了

至此，这本书一直回避了两个有趣的话题——华尔街的欺骗行为和近来为了管制这个问题而采取的许多措施。勤奋好学的读者应该不会觉得这很困难，因为关于这些问题已经有大量的资料可供查询了。这本书主要想描绘成千上万犯错误的人，讲述各种程度的美好愿望，他们隆重地加入这个行业预测那些不可预测的事。本书还将一步指出，这些努力大部分都带有某种可笑的诚意。

公众脑海里形成的画面总是更为邪恶的，他们认为华尔街人根本就不是什么低能儿，而是骗子和恶棍，并且在这方面很擅长；他们卖出很多他们都很清楚并不值钱的证券；总之，他们是强盗而不是孩子。

每个感兴趣的人都会让这个画面永久地流传下去。外面的人早已对此深信不疑——否则那些自大的华尔街人是如何变得这么富有的？破产的客户当然更愿意相信他是被抢劫了，而不是一个按傻瓜们的建议行事的傻瓜。甚至华尔街的人自己也愿意支持这个观点。他们随时都准备向你吐露他们所知道的其他内部人员的不诚实行为。面对"投资者们"所遭受的巨大损失，他们在潜意识里告诉自己：被看作一个不择手段的人（马基雅维里：1469—1527，意大利政治家、历史学家，主张为达目的利用权术、不择手段）要比被看作一个从事令人迷惑职业的成年人更好。

破产的客户当然更愿意相信他是被抢劫了，而不是一个按傻瓜们的建议行事的傻瓜。

华尔街的欺诈行为在我看来是一种被高估的现象。华尔街的人和偷香肠的人一样黑心，这两者可能包含同样多的违法因素，但是华尔街的掠夺行为更壮观。他们牵涉的数额巨大，且更具趣味性。最重要的一点是：其为公众提供了一个掩盖自己愚蠢行为的借口。

一些愤怒的作者总是不知疲倦地指出在华尔街被偷走的上百万美元。但是，当这些上百万美元正在被偷走时，几十亿美元被弄丢了。没有任何东西被骗走——只是糟糕的运气和愚笨的头脑结合在一起想要做一些从一开始就不可能完成的事情而已。

当然，在华尔街偷钱有很多种方法：从偷 12.50 美元（对 100 股股票收取 1/8 的费用）到偷 100 万美元（对原本不应该认购的 2 500 万美元的债券收取 4% 的认购费）。关于这些主题有无数的变化，随着技巧和环境的日趋复杂，越来越难以确定孰是孰非了。⊖

没有人喜欢交易专家

例如，让我们来思考几个关于交易所大厅里交易专家的道德和法律问题。州长委员会、证券交易委员会和其他机构已经对它们关注了很多年。然而，这儿有些道德上的复杂问题让由苏格拉底和圣托马斯·阿奎那负责的调查委员会感到很迷惑。其中包括：交易专家必须在何时做何事、何时又不做何事。

如你所知，交易专家是拥有某只股票"账户"的人。他在账户的左侧填入他收到的买方指令，右侧填入卖方指令。只要买方和卖方的指令相吻合，他就执行交易并收取一定的佣金。他的这部分工

⊖ 明目张胆地挪用资金（直接到别人的钱柜找钱）对不诚实的华尔街人没有多少吸引力，这可能是因为太简单了。

作完全正当，也许可以发明一台机器来做同样的工作。

但是，偶尔交易专家也会进入市场，用他自己的钱冒险，并用自己的账户进行买卖。每个人都同意，在必要的时候，他必须这么做。如果他不这么做，许多交易将不能完成；有时，价格会和上次交易相差很远。因此，人们一直努力制定公平的规则来表明他的行为何时是"必要的"，何时是一种偷窃。然而结果是立法的混乱，既难理解又难以应用。许多交易专家都认为那些啰唆的措辞可以归结成：交易专家应利用自己的指令帮助维护一个有序的市场。但是，在进行这项公共慈善行为时，实际上他被告知，要非常小心，不能为自己赚太多的钱（但如果他自己损失很多钱的话，则没有人会反对）。

我这里有一个极端的例子可以说明交易专家的问题，它是对于发生在1937年10月19日那件大事情（比交易专家常见的难题要大得多）的介绍。那天股票交易所开市的时候很可怕（因为认真的管制），现在我们应该不会再遇到这种情况了。随着开市的钟声，价格开始狂跌，各种难以置信的事情都发生了，但是其中最出色的交易似乎是由纳什·凯尔文内特股票的交易专家执行的。他一开市就报价5美元买进了8 300股（这只股票前一天的平均股价是11美元），并在随后的23分钟内没有向市场投放任何股票，尽管在此期间市场曾经强烈反弹。他可能在价格到达8美元后进行了第一次售出。第二天，这只股票的价格重新回升到前一天的11美元。由于这些有趣的行为，纽约证券交易所的州长委员会吊销他三个月的执业资格。这个决定引起了下面四种说法：

（1）上帝——竟然有这样的事！把这个混蛋赶出去！

（2）所以他们吊销了他 90 天的执照，不是吗？这似乎像丹尼尔判案一样，一个在 23 分钟之内赚了超过 3 万美元的人，很自然需要带他的妻子和孩子去某个地方，用三个月时间休息一下，花掉一点钱。

（3）但是，他们究竟为什么"惩罚"他？仅仅是因为报了 5 美元的价格？那天早上 10 点钟，情况看起来很可怕。难道州长委员会报了 6 美元的价格？甚至他们还报了 4 美元？难道 S.E.C. 没有报价 3 美元？难道亲爱的读者你不会报价 1 美元？你必须在很短的时间下定决心，顺便说一句，在 1937 年 10 月你碰巧有 8 300 美元吗？

或者，也许谴责的重点应该放在，他在 23 分钟之内没有向一个上涨的市场投入任何股票。这种指责更为合理，即使 23 分钟相对于持有股票直到购买来说并不是很长的时间。就这一点，作者无法得出任何真正合理的判断。我们进行指责依据的唯一标准是他如此短暂的时间内赚了太多的钱。我们可以大致得出这样的结论，就是"惩罚"与"罪行"是相适应的。

（4）如果，在这决定命运的 23 分钟内，市场进一步下滑，纳什·凯尔文内特股票的价格已经降到了 2 美元一股，那么还会有人因为他损失了 3 万美元而对他进行惩罚吗？

管制的范围和局限

林肯·斯蒂芬斯精辟地指出，任何改革至少都会在某些方面令人失望。我记得在 S.E.C. 成立以前，股票交易所的管理当局们成功颁布的规定，使得迫切需要改进的道德水平有效地提高了。他们一劳永逸地取消了古老的"信封架"。不管你如何看待它，这是一种非正式的回扣系统或者是暂时的贿赂。某些交易所的职员有权把佣金业务交给其他的经纪人。他们本应该在服务效率这个基础上决定如何分配，但自古以来，他们中的有些人就是在"信封"的基础上进行决定的——只是装进现金的普通信封。这些信封由那些接到业务的公司每个星期偷偷地塞给他们。

股票交易所决定让这个污点从眼中消失，并且彻底有效地做到了。这个改革虽然从各方面看都是必要的，但是一些了解内情的旁观者仍然能观察到一些令人遗憾的社会后果。这是糟糕的一年，大部分有问题的员工除了这个小的勾当外，只能得到微薄的薪水。信封里装有现金，收到它的职员如果愿意，能够用这个钱来给孩子补牙。但是，当信封成为禁忌后，"娱乐"取代了它的位置。在那个时期，唯一所知的招待职员的方法就是带他们去西福蒂斯俱乐部玩一次，在那里宾主双方都彻夜不眠。事实上，只有当宾主中的某一方毫无知觉地躺进出租车时，招待才算尽兴了。那些没能为孩子看牙的钱最终用在刺激爸爸的肾脏上了，不管怎么样，钱都是要花掉的。

S.E.C. 的目标比这种小事要广泛且重要得多。虽然对官方的宗旨说法各不相同，但是委员会却是在愤怒群众的要求下成立的。这些百姓极度恼火，要求必须采取一些措施来预防如此众多的民众在华尔街损失如此众多的金钱（也一直有其他的机构，颇为努力地想要防止我们的百姓在其他领域遭受损失——例如，赛马、赌博、黄金交易、房地产以及他们自己不成功的贸易事业）。这完全是一种人性的、正当但却毫无希望的冲动。它努力想赋予最虚假的话一点点真理："上帝用微风轻拂剃过毛的羊羔。"⊖你知道，他没有这么做。看看你自己就知道了。

　　我不相信大多数的华尔街人希望回到那些美好的、糟糕的旧时光中，如果他们真的拥有这样重新选择的机会。这些大多数人，是有良知的（正如你一样，信不信由你），他们像炼狱中的灵魂一样喊叫。但是，我认为他们所抱怨的不是改革的最初原则，而是改革执行的细节方式。这是一个长期而复杂的问题，我只是在这稍做努力，谈论一些例子以指明在满怀希望的计划（或许偶尔也会敷衍应付）和真正发生的事情之间还是存在着一些矛盾的。

　　S.E.C. 是很难得到一个正确的评判的。例如，我的观点就有些偏见，因为我一直到现在都与华尔街有联系。但是，来自美国中部的某个人的观点也不会特别有用。我有时想象自己能从 S.E.C. 中观测到一种乐于报复的心理，这不应该是一个管理机构所应有的态度。警察应该维持城市的秩序，而毁坏这个城市并不是他的职责所在。

　　很久以前，我就看到过诚实的经纪人偷取他的客户 1/8 的佣

⊖　这里没有任何亵渎之意。这句话并非出自《圣经》，而是源于劳伦斯·斯特恩的《情感历程》。

金，或者一个银行家偷取他的客户 100 万美元的行为。是时候成立一个有能力完成这项工作的权威机构了。但是，我发现自己希望 S.E.C. 在执行它的功能时少一点活力和激情。难道他们不能让自己的程序和公开性更接近于计量部门，而尽量少采用一些联邦密探在寻找公众敌人时所用的方法？

也许，S.E.C. 最重要的工作是对于新发行证券的详细检查。没有什么比这种必需的改革更为公正，而且它已经被不折不扣地实施了。华尔街人感到这样的检查会让签名承销变得困难，但是 S.E.C. 觉得公众有权知道关于一个新的债券或股票发行的每一个细节。委员会采取行动已经有几年了，那么情况怎么样呢？

是的，并没有太大的变化。1936 ～ 1937 年市场曾经一度繁荣。经过详细审查的新证券非常抢手，华尔街人对此曾有过担心，但事实证明担心是多余的。接着就是经济衰退期，所有的证券都下跌，就像回到了过去罪孽深重的日子。在牛市结束后，一些仔细审查过的新证券也让投资者在认购后的几个星期内损失了不少资金。

在这一点上，有个有趣的细节。在 S.E.C. 成立之前，对新证券的认购书中通常包含一份两页纸的传单，上面印着一张不详细的资产负债表。资产负债表是对近来收益情况的马虎介绍，或许还有一些鼓舞士气的话。这个传单并没有包括投资者应该知道的内容。但是，它确实有一个非常大的好处：投资者能有兴趣来读它。现在，一份经过正常登记的发起书包含了所有的内容；它和这本书一样长，但内容更枯燥。仅仅是看着它，就会让聪明的人缩成一团以示抗议。我猜想能把它通读一遍的人应该只会和读完埃德蒙·斯潘塞的《仙后》的人一样多。

长期以来，证券交易委员会一直致力于维持一个"有序"的市场。这很值得称赞，但是在这个方面他们并未取得很多成就。只有不景气的市场才是有序的。我想海事委员会也希望维持一个有序的海洋，但当天空乌云翻滚、电闪雷鸣时，任何委员会在维持秩序方面都是一样的效果。

S.E.C. 总是很愿意加入公众对不友善卖空者的反对指责中去。从这一点，我们可以推断出他们不仅想要一个有序的市场，而且希望这个市场永远稳步上涨。当然，那种想法是相当愚蠢的，就像伏尔泰认为一个社会的成员之间能相互清洗衣物就可以自给自足一样。那些委员们至少应该像我一样明白什么合理、什么不合理，对此我根本就不怀疑。但是，大部分公众不这样认为，而委员会代表的是公众，它所拥有的权力说到底还是由公众赋予的。我怀疑委员们有时想用他们自己都不太相信的规章制度来努力取悦公众。我们不能没有人性地要求他们对公众说："别对那些你们不太明白的事情感到烦心了。"⊖

确实，S.E.C. 日程上一个主要目标就是努力达到"让投资公众得到全面信息"的理想状态。这种努力从任何方面看都是值得称赞的，但必须确保一定的进度，即使进度比较慢。然而，正如一个奇

⊖ 这种观察不是正式的——只是业余爱好者才会费心去读。委员会从没有向我坦白过他们内心的想法。

妙的悖论，我们考虑一下，如果所有的投资公众在某个奇迹般的早晨醒来发现自己"得到了全面信息"，情况会怎么样呢？这肯定意味着有序市场的结束，因为随之而来的必定是牛市恐慌或熊市恐慌。每个人都知道是该买还是该卖，不管选择哪一个，大家都将立刻做同一件事。而没有人来完成交易的另一方！有序的市场，就像赛马一样，是以不同的观点为基础存在的。

华尔街需要 S.E.C. 正如棒球运动在 1919 年后需要兰迪斯主席一样。但是，对棒球运动感兴趣的人比对华尔街感兴趣的人更为现实。球迷们并不期望兰迪斯法官能在保证这个比赛相对诚实之外还能做更多的事。他们不期望他能提高防守和进攻的质量。然而，大部分公众似乎期望 S.E.C. 能使投机和投资变得更安全。

那些充满希望的人们就如同玩牌的好心人一样，他们在游戏开始的时候会说："好的，伙计们，如果我们认真玩，大家都能赢点儿钱。"

并不令人信服的结论

启发式的著作有一个惯用的结构，作者首先尽可能真实地解释他的研究对象的条件和问题。然后，在结尾时会有一个部分，名为"一个建设性的方案"或者"去哪里，往何处去"，这有点儿像代数书里的答案。感兴趣的读者会迫不及待地读这一部分，因为它会一劳永逸地指出政府下一步会做什么或什么是美好生活。这种观点是有争议的，因为它认为一个知道问题的人必定也知道答案。

这本书如果不能提出以下一些重大问题，它就是不成功的，例如：

（1）我们的金融机制是否应该废弃？

（2）是否应该进一步修补它，如果这样做，修补的程度该如何？

（3）资本主义是否走到尽头了？

（4）为了立刻支付妻子刚买的别克汽车，应该购买哪种价格低于5美元的活跃股票呢？

任何机构中的经济学助教都能迅速而明确地回答这些问题以及类似的问题，而且如果这还不够，还有上百万的外行们急于帮忙呢。因此，我不认为自己的意见有多重要。

我以为最好维持我们的金融制度，即使其中还存在着许多荒谬的事情。我们成长的方式让我们都会喜欢那些由耗资百万美元的工厂生产出来的商品。这些商品很少是由某个家伙和他叔叔躲在车库后面制造出来的。目前为止，想要从公众手中吸取上百万资金唯一成功的方式（不管是好公司还是坏公司），就是采用一种和华尔街的罪恶机制相类似的体制（有时，也可以用军刀的背面拍打他们，以从公众手中集资，但是这种方式的后果总是不令人满意）。

关于第二个问题，我不想给出任何解释。但是，我愿意向S.E.C.提一个建议，也许他们自己也已经思考过了：把他们看成是只有一个病人的医生，而且永远没有希望再得到一个病人。尽管出于对科学的狂热会促使这个医生在病人身上尝试他架子上所有的药品，但如果杀死这个病人就是一个医术上的错误了。毕竟，在这种情况下，根本不存在病人彻底康复的危险。

对第四个问题的回答就留给那些特殊的五星级人物了。你只要剪下息票，填好它，再附上 2 美元，就能收到一个普通信封，里面装有这种股票的名称。

最后，我必须提醒你我是在华尔街工作的，可以向你保证我的机构绝对和我在这本书里所描述的大不相同。也许，你是在寻找一个长期而综合的投资计划，它既保守又自由，并会使你免受通货膨胀和通货紧缩的影响，还会让你晚上能放心入睡。如果真的像我所说的，就到我的办公室来吧，我们会给你推荐一个方案，而且我将保证亲自把你的请求转达给水晶球观测部的领导。

译 者 后 记

　　本书是一本关于股票交易的书，书中描述的一切发生在几十年前美国的华尔街。本书作者以其在华尔街证券交易的经历为基础，通过他敏锐的观察，以极具讽刺性的语言，揭露了股票交易的内幕。大部分股民的游艇——财富的象征——驶入了操纵股市大户的港湾。

　　正如作者在前言中所指出的，他尽量以幽默、轻松、简单的语言来描述复杂的股市交易。在翻译过程中，我们深切地感受到了这一点。但是，中文和英文两种语言的巨大差异，也使我们清醒地认识到翻译本书的困难。幽默，在很多语境中，是可意会而不可言传的。作为译者，我们遇到的另一个困难是书中大量的，有时是不完整的经济、金融和股票交易术语。虽然我们三位译者都拥有经济、管理和金融专业较高的学历和学位，但为了准确地翻译，我们还是借助了不少工具书，查阅了大量资料。经过无数次电话沟通，面对面的讨论、推敲甚至争论，我们终于完成了这本书的翻译工作，怀着忐忑不安，犹如考生等待考官打分的心情，将书呈现给广大读者，希望读者们不吝赐教，使我们有一次学习的机会。

孙建　姚洁　栗颖